一般教養
としての
プログラミング

PROGRAMMING
AS A LIBERAL ARTS

中原 大介
DAISUKE NAKAHARA

SB Creative

本書に関するお問い合わせ

この度は小社書籍をご購入いただき誠にありがとうございます。小社では本書の内容に関するご質問を受け付けております。本書を読み進めていただきます中でご不明な箇所がございましたらお問い合わせください。なお、お問い合わせに関しましては下記のガイドラインを設けております。恐れ入りますが、ご質問の際は最初に下記ガイドラインをご確認ください。

ご質問の前に

小社Webサイトで「正誤表」をご確認ください。最新の正誤情報をサポートページに掲載しております。

▶ 本書サポートページ

URL https://isbn2.sbcr.jp/10791/

上記ページの「正誤情報」のリンクをクリックしてください。なお、正誤情報がない場合は、リンクをクリックすることはできません。

ご質問の際の注意点

- ご質問はメール、または郵便など、必ず文書にてお願いいたします。お電話では承っておりません。
- ご質問は本書の記述に関することのみとさせていただいております。従いまして、○○ページの○○行目というように記述箇所をはっきりお書き添えください。記述箇所が明記されていない場合、ご質問を承れないことがございます。
- 小社出版物の著作権は著者に帰属いたします。従いまして、ご質問に関する回答も基本的に著者に確認の上回答いたしております。これに伴い返信は数日ないしそれ以上かかる場合がございます。あらかじめご了承ください。

ご質問送付先

ご質問については下記のいずれかの方法をご利用ください。

▶ **Webページより**
上記のサポートページ内にある「お問い合わせ」をクリックすると、メールフォームが開きます。要綱に従って質問内容を記入の上、送信ボタンを押してください。

▶ **郵送**
郵送の場合は下記までお願いいたします。

〒106-0032　東京都港区六本木2-4-5　SBクリエイティブ　読者サポート係

はじめに

　本書を手にとっていただき、ありがとうございます。まずはじめに、1つショートストーリーを紹介したいと思います。

A国は、宇宙飛行士を最初に宇宙に送り込んだとき、無重力状態ではボールペンが書けないことを発見した。
これではボールペンを持っていっても役に立たない。
そこでA国の科学者たちはこの問題に立ち向かうべく、数年の歳月と多額の開発費をかけて研究を重ねた。
その結果ついに、無重力でも上下逆にしても水の中でも氷点下でも超高温でも、どんな状況下でもどんな表面にでも書けるボールペンを開発した！！
一方、B国は …

　さて、このB国はどのようにこの問題を解決したと思いますか？
　このショートストーリーは、プログラミングをビジネスツールとして使っていくための重要なエッセンスが含まれています。詳細は、後々紹介するとして、まずは本書の内容について、簡単にご紹介したいと思います。
　本書では、主にビジネスパーソン（ノンプログラマー）の方々に向けて、プログラムの概念と基礎知識、プログラミング体験を提供します。
　多くのビジネスパーソンは、職業的な興味や必要性からプログラミングについて学習することはあっても、プログラマーやシステムエンジニアなどの技術専門家の業務レベルでの開発を行うことはありません。そのようなニーズに対して、**プログラムの作り方ではなく、「プログラムとはどのようなものなのか」を理解してもらうことに重点を置いた解説**

書が本書の特徴です。

　前半は、パソコンやタブレットなどのコンピュータを使わずに、読むだけでプログラミングの知識と使い方が得られるようにすることを目指しました。

　後半は、現在AI開発などでよく使われるプログラミング言語「Python」による簡単なプログラムの作成を行い、プログラミングの体験を提供していきます。

　本書の最終的な目標は、**「日々の仕事の作業を行うためには、どのようなプログラムを用意すればよいか」がイメージできること**を目指します。また、プログラムを作るための考え方を、仕事上の作業の効率化へ応用できる力も身につけていきましょう。

　本書を読み終える頃には、日頃のビジネス業務が飛躍的に効率化するだけでなく、自分の仕事がAIに仕事が奪われてしまうかもといった心配や、データサイエンスやXRなどの最先端のテクノロジーについていくために学び直しをしたいけど、どこから手をつけたらいいのかがわからないなど漠然とした不安が消えているはずです。言い換えると、**プログラムの最先端技術であるAIやロボットと「協働」できる準備が整っているはず**です。

　以下に、本書で取り上げてる「プログラミング」について、列挙しておきます。

　どれか1つでも心に引っかかったり、興味関心のある記載がありましたら、ぜひ本書の読み進めていただければ幸いです。また、読み進めながら以下の項目に適宜チェック（✓）を入れていただき、ぜひ復習などにも役立ててください。

◆

□プログラミングとは、ビジネスに活かすための知識を学ぶことである。

□プログラミングとは、身近な存在であり、仕事やプライベートなどを含めて日常的に囲まれてるモノを作り出すことである。

□プログラミングとは、何らかの仕事をするためにコンピュータに命令を出すことである。

□プログラミングとは、人間が普段使っている自然言語と、コンピュータの言語である機械語の「翻訳」を行うスキルのことである。

□プログラミングとは、狭義には、プログラマーというプログラム（ソースコード）を書く職業の人の成果物のことである。

□プログラミングとは、広義には、そのプログラムを「使って」、ビジネスに活かすための知識やスキルのことである。

□プログラミングとは、それを学ぶことで、論理的思考力を向上させ、仕事の効率化させることができるスキルのことである。

□プログラミングとは、AIと協働しながら新しい物事を生み出せるようにもなる力を身につけることである。

□プログラミングとは、ビジネスパーソンの誰もが習得すべき一般教養（Liberal Arts）のことである。

◆

□プログラミングとは、アルゴリズム＝論理的思考力アップの学習方法のことである。

□プログラミングとは、コンピュータ - の仕組みの理解を深めるための学習方法のことである。

□プログラミングとは、パソコンとインターネット接続環境があれば、すぐにでも学習を始めることができるスキルのことである。

□プログラミングとは、「何のために」プログラムを活用するのかという目的意識を明確にすることである。

□プログラミングとは、デジタルリテラシー向上のみならず、キャリア形成にも寄与するスキルのことである。

□プログラミングとは、AI やデータサイエンス、XR などの最先端技術を道具として使うスキルのことである。

□プログラミングとは、真似をする、教えを乞う、共有するなど、学ぶスタンスのことである。

□プログラミングとは、道具の進化系であるコンピュータの仕組みを作り出すことである。

□プログラミングとは、いってみれば正体不明な「宇宙人」であるコンピュータと対話することである。

□プログラミングとは、正体不明なコンピュータの仕組みや言語を知ることで、その怖さを減らすことである。

□プログラミングとは、最先端動向にも大きく関連する技術のことである。

◆

□プログラミングとは、「言語」のことである。

□プログラミングとは、プログラミング言語の基礎＝文法で構成される技術のことである。

□プログラミングとは、アルゴリズムの表記方法＝フローチャートで表現することができる技術のことである。

□プログラミングとは、プログラム＝「命令」を作ることであり、命令を手順として記述することである。

□プログラミングとは、「推理」であり、「探偵」は読者であるあなた自身である。

おまけに

　本書に記載されてるイラストの中には、「AutoDraw」と呼ばれる AI 描画ツールで作成したものがあります。

　これは、人間が描いたスケッチから、人間が意図するイラストを AI が類推して描画するツールです。映画やアニメーションの制作に例えると、人間が「ディレクター」となって表現したい「スケッチ」を描き、それを基に詳細な映像を描く「スタッフ」が AI となります。

　以前なら全て人力で描く必要のあった図版なども、こうして AI ＝最先端のプログラムの塊と協働していくことが可能になります。どのイラストがそのツールで描かれてものか、ぜひ探してみてください。

AutoDraw
https：//www.autodraw.com/

2023 年 4 月

中原 大介

Contents

CHAPTER 5 ▶ プログラミングを体験する

CHAPTER

1

▼

プログラムを知る

SECTION 01 ビジネスシーンにおける プログラムの存在

　皆さんは、「プログラム」と聞いて何を思い浮かべますか？

　その実態はともかくとして、**プログラムはあらゆるデジタル機器に組み込まれています。**その代表例が**スマートフォン**です。いまやほとんどの人が肌身離さず持っており、1日に何度も何時間もその画面を見つめたり触ったりしています。デジタルネイティブ世代はもちろん、あらゆる世代の人にとって、スマートフォンは日常生活の一部のみならず、身体の一部と言えそうです。それくらい身近なプログラムの集合体と言うことができるでしょう。

　あとは、**携帯ゲーム機**もそうですね。こちらも老若男女問わず人気のあるデジタル機器ですが、寝食忘れて没頭して遊んだ経験のある人も少なくないはずです。ネトゲ廃人などという用語が蔓延するくらい、国民的コンテンツ産業であり、エンタテイメント機器です。このゲームも、多数のプログラムで構成されています。**プログラムは、こういった人生を楽しむエンタテイメントなどでも大活躍しているということです。**

　プログラムは、スマートフォンやゲームといった、我々が頻繁に目にするところだけでなく、他にも縁の下の力持ちのような形で活躍しています。

　例えば、**組み込み機器**などがそうです。組み込み機器とは、機能を制御するための電子装置（それを動かすプログラム）が組み込まれたデジタル製品を指します。冷蔵庫や電子レンジといった日常生活を送るうえで必須と言える家電製品はもちろん、カーナビゲーションなど車の運転にはなくてはならないものもあります。

　組み込み機器は昔から歴史のある伝統的な工業製品ですが、最近では、**AI**（人工知能）、**IoT**（Internet of Things）、**ロボット**など最先端の技

術も話題に挙がっています。詳細は後述しますが、これらの最先端の技術もプログラムなしには成立しません。

いずれにしても、**私たちの社会生活におけるプログラムの生態系は実に広範囲で多様であり、日々仕事やプライベートなど含めてプログラムに囲まれて生活していると言えるでしょう。**

では、もう少し仕事に関わる具体的な例とともに見ていきましょう。

表計算ソフト「Excel」のプログラム

本書を読まれているほとんどの方は、日頃のお仕事で Excel を使っているかと思います。

当ソフトは、言うまでもなく、表の作成や数値的な計算、統計の分析など、日頃の事務作業において、あらゆるビジネスパーソンに重宝されています。

例えば、集計データの平均値を計算する際には、数値を次々と入力し、平均値を出す関数（AVERAGE）を選択すれば、すぐに所望の結果が表示されますよね。関数自体はデフォルトの Excel の機能で備わっていますが、この関数もコンピュータのプログラムです。Excel という大きなプログラムの中に、関数という小さなプログラムがあるようなイメージです。

Excel にはあらかじめ様々な関数が用意されています。先ほどの平均値（AVERAGE）の他にも、合計値（SUM）、最大値（MAX）、最小値（MIN）など、便利な関数のプログラムが備わっています。関数機能に限らず、昇順や降順の並べ替えなど、表のまとめや分析に役立つ機能もあります。

こういった機能は、扱うデータが大きくなってくると重宝します。例えば、表のデータを数値の順番に並べ替える際に、数行程度であれば手動で並べ替えればいいかもしれませんが、数百行以上のデータだった場合、手作業で行うのは大変ですよね。そこで、昇順機能を使えば、一発

で順番通りに並べ替えてくれます。つまり、作業工数削減に直結するわけです。

　では、もし Excel に標準では備わっていない計算式や機能を使いたい場合はどうでしょうか。

　いろいろなケースが考えられますが、例えば筆者は、担当授業の受講生の成績評価を行う際に、配点の大きな期末試験は重みを大きめに設定し、授業中に数回実施した配点の小さい小課題の合計値は重みを小さく設定し、その合計値として評価点を出したりします。このような計算式は Excel の関数として標準では備わっていないので、独自の計算式として関数を作成しています。この場合、当然ですが、**計算式自体を自分で作る＝「プログラム」を作らなければなりません**。

　さらに Excel には、「マクロ」と呼ばれる機能もあります。例えば、先の成績評価の例だったら、数百人いる受講生のデータの中から専攻別や学年などいくつかの分類で評価点の傾向を分析してみたいとします。

Excel のマクロ機能の利用例

プログラミング成績

学籍番号	氏名	学部	学年
1234	あああ	経営学部	2
1235	いいいい	商学部	2
1236	うううう	工学部	2
1237	ええええ	経営学部	3
1238	おおおお	経営学部	2
1239	かかかか	工学部	3
1240	ききき	商学部	2
1241	くくくく	経営学部	3

標準のフィルター機能で行うという手もありますが、マクロ機能を活用すれば、例えば、ボタンを押すと瞬時に専攻別に表の並びが切り替わる、などということもできます。いわゆるタブの切替機能です。マクロを利用することで、Excel の機能を自動化することができますが、このマクロの正体もプログラムです。

上記はわりと簡単な事例ですが、もっと複雑な計算式や仕組みを作りたくなる、あるいは「あれば便利だな」と思うようなことはないでしょうか。**日々の忙しい仕事の中で、特にこういった単純かつ単調だけれども、必須なことはなるべくなら省力化したくなるはずです。**このようなときに、自分で「プログラムを作る」力＝**プログラミング力**が有効になってくるのです。

自動化・効率化ツールとしてのプログラム

先の事例は、Excel という Microsoft 社が提供している Microsoft Office の一ソフトウェアについてのものですが、Office のソフト全てにまたがって日頃の作業を自動化したり効率化するツールがあります。それが、**Microsoft Power Automate**（マイクロソフト パワー オートメイト）です。

例えば、「毎週実施している定例会議のリマインドメールを作成して関係者に送付し、その会議の議事録を作成して関係者に一斉送信する」といった作業の大部分を自動で行ってくれます。ビジネス業務で使うソフトウェアは Excel に限らず Word やメールなど様々です。それらを連携して自動化できる仕組みを作ることができれば、日頃の業務効率はグッとアップすること間違いなしです。

Microsoft Power Automate

https://flow.microsoft.com/ja-jp/

　このように、私たちが日頃から何気なく行っている仕事でも、よくよく考えるとコンピュータに任せて自動化した方がはるかに効率よく、その分をもっと**本当に人間がやるべき仕事、やりたい仕事、ひいては創造的な仕事に費やせる余地**が、まだまだたくさん潜在しています。そのような自動化・効率化の仕組みの1つが **RPA**（Robotic Process Automation）です。

　RPAは、人間が手作業で行っていた処理をコンピュータに任せて自動化し、仕事を効率的に行うための仕組みです。Microsoft Power Automate に限らず、こういったツールやサービスは国内外問わず開発や導入が日々進んでいます。**そのようなツールやサービスを利用して効率的な仕事ぶりを実現するにも、プログラミング力が有効になってきます。**

　また、ツールやサービスに限らず、仕事を効率化するためには、業務の流れを理解し、それを有効に組み立てていくことが必要です。つまりは、**論理的に考える力＝論理的思考力**が大事になってきます。それはま

さにプログラムに通ずるものなので、そのために有効なのがプログラミング力ということになるわけです。

人間と協働するプログラム「AI」

先の RPA の最先端と言える事例を紹介します。それは、**AI**（Artificial Intelligence）＝**人工知能**の活用事例です。

皆さんは、AI と聞いて、それは「脅威」をイメージしますか？それとも「安心」をイメージしますか？

昨今大変に話題になっている技術ですので、ほとんどの皆さんは耳にしたことはあると思います。ただ現状、AI は将来人間の仕事を奪うなど、ややネガティブな印象を持たれることも往々にしてあるかと思います。確かに、人間の多くの仕事は AI のそれに取って変わられるでしょう。

英オックスフォード大学で AI の研究を行うマイケル・A・オズボーン教授は、「今後 10 〜 20 年程度で、アメリカの総雇用者の約 47％の仕事が自動化されるリスクが高い」という結論を出しています[※]。

ここでちょっと見方を変えてみましょう。

例えば、あなたがある仕事で忙しくて、ちょっと人手が足りなくなったとします。そのときに、その仕事の手助けをしてくれるスタッフ＝「人間」がいた場合、それは脅威になるでしょうか？

そのほとんどの場合は、忙しい中で助かる＝安心感を覚えることが多いはずです。何故かと言うと、そのスタッフ＝人間は、**協力関係を築けることが気づけることが前提になっているからです**。協力関係は、そのスタッフとの信頼関係に依存します。したがって、もし AI との信頼関係があれば安心につながり、仕事も効率化するはずです。

※ 「THE FUTURE OF EMPLOYMENT: HOW SUSCEPTIBLE ARE JOBS TO COMPUTERISATION ？」
https://www.oxfordmartin.ox.ac.uk/downloads/academic/The_Future_of_Employment.pdf

　多くのビジネスパーソンは、AI のプログラムを自分で作ることはないでしょうし、その仕組みを理解することは難しいでしょう。しかし、**プログラムを知ることで、AI がどのように作られているのか、どのような仕組みなのかの理解にも近づきます。**その仕組みを理解することが、AI をはじめとしたコンピュータへの信頼性の向上につながります。先端的な技術を信頼し、協力していくためにもプログラムを学習していきましょう。

　そんな人間と AI が協力する技術を提供している企業の例として、株式会社シナモンを紹介します。

株式会社シナモン

 https://cinnamon.is/

　当社が提供しているのは、AI を活用した自動公式文書作成システムで、請求書などを自動で読み取るサービスを展開しています。大概の企業では多数の公式文書とその処理が発生するわけですが、そのような人間の手で行っている単純だけど長時間が必要な作業なども短時間でこなすことができるようになります。

　しかし、だからといって人間の仕事がなくなるというわけではありません。当社でも「創造あふれる世界を、AIと共に」と謳っています。つまり、例えば先の文書読み取りという単純な作業をAIに任せて、人間は別の創造的な仕事に時間をさく、ということです。

　AIを活用するということは、単にプログラムを作る＝プログラミングをするというだけでなく、**一緒に仕事を遂行する＝協働することも大事になってくる**ということを示唆していると言えます。

ビジネス分析ツールとしてのプログラム

　先ほどまでの事例は、人間の仕事を肩代わりしてくれたり、何か作り出してくれるためのプログラムでした。しかし、人間の仕事を丸ごと引き受けるとまではいかなくても、**人間が何かアイデアを出したり分析することを手伝ってくれるプログラム**もたくさんあります。Miro（ミロ）などはその代表的な事例です。

Miro

 https://miro.com/

　これは、マインドマップなどの思考を可視化するための機能や、ブレインストーミングのリアルタイムな付箋機能など、個人ワークあるいはグループワークにおける様々なアイデア出しやその分析を支援するためのツールです。とりわけ、オンライン会議などの在宅ワークでは人気が高まっています。

　このようなツールは、その思考作業自体は人間主体ではありますが、ツールとしてその操作方法や利活用法について熟知する必要があります。その意味では、**プログラムの知識やスキルがあるのとないのとでは、その作業効率や効果は大きく変わってきます。**

　近年ではデータサイエンスなどの分野もビジネス教養として必須スキルとなってきていますので、様々なデータを分析やそれを元にしたアイデアを出す仕事においても、プログラムはより身近になっていくことと思われます。

Column　一般教養（Liberal Arts）の語源

　本書のタイトルにある「一般教養」の語源は、古代ギリシャ時代に遡ります。その昔、一般教養というのは、奴隷が「自由」（Liberal）を得るために身につけるべき技芸だったそうです。

　ご存じの通り、当時の奴隷たちは、主君からの命令された仕事にただ従って生きていくしかなかったと言われています。それから逃れるために、当時の奴隷たちが身につけようとしたのが**一般教養（Liberal Arts）**なわけです。

　現代に置き換えると、今後、人工知能やデータサイエンスなど、様々な高度なデジタル技術が人間の仕事に取ってかわられると言われています。読者の皆さんは、それらに仕事を奪われることがなく、むしろそれらをうまく使いこなすために、ぜひプログラミング力を身につけていただければと思います。

プログラムとは
コンピュータへの「命令」である

　先ほどは仕事に関わるプログラムの事例を紹介しましたが、ここからは、もう少し詳しくその正体を見ていきましょう。

　結論から言うと、**「プログラム＝コンピュータへの『命令』の集合体」** **ということができます。**では、その命令とは何でしょうか。

　これも人間同士の対話に置き換えるとイメージしやすいかと思います。例えば、先ほどの Excel の表の整理の作業を思い出してください。忙しいのでその作業を誰かにお願いするとします。あなたはあるスタッフにその作業を頼みます。

　さて、どんなスタッフに、どのような指示＝命令を出しますか？

　例えば、Excel の初心者にその作業を頼むとします。その場合、あなたは Excel の画面上を指し示しながら、「ここをクリックしたら、次はあっちをクリックして、その次は…」という要領で、詳細にその作業の「手順」を教える必要があります。つまり、**この場合の「命令」は、詳細** **な「手順」そのものになるわけです。**

　このようにコンピュータへの命令は、詳細な論理的な手順を指示することが多々あります。ですので、プログラムを扱うには**論理的な思考の** **力**が大事になってくるということです。

　では、顔見知りの仕事上のパートナーや職場の同僚や部下の場合はいかがでしょうか。

　「この表を○○と××と△△の分類で傾向を分析しておいて」と頼む＝命令すれば、問題ないことが多いでしょう。何故なら、あなたはそのスタッフの知識や能力を知っているので、どのような指示の仕方＝命令すればいいのか「知っている」からです。

　Excel の作業に置き換えると、ソートやフィルターなどの機能につい

て「知っていれば」、安心して作業をその機能に「命令」することができます。

　では、もしそのとき初めて話す新人のスタッフにその仕事を頼まなければならない場合、あなたは何を感じると思いますか?

　おそらくほとんどの人が、不安を感じるはずです。何故なら、あなたはそのスタッフの知識やスキルのことを詳しく「知らない」ので、どういう「命令」を出せばいいかよくわからなくなるからです。

　このように、どんな仕事をプログラムにやらせるにも、その**仕組み**を知る必要があるということです。なにも、そのプログラムの隅から隅まで全文を把握する必要はありません。**大事なのは、「○○という指示を出せば××という結果が出る」という関係性を知っておけばいいのです。** 先ほどの AI の脅威の話も、AI の仕組みをよく知らないせいだと言えます。その点、先のシナモン社の請求書作成 AI サービスなどは、まさにこのあたりの AI との信頼性が構築され、人間との協働作業の成功事例と言えるでしょう。

▎命令は専用の言語を使って示す

　さて、先ほど**プログラムを作るということは、コンピュータへ命令を行うこと**だと言いました。その命令を出すには、何らかの手段でこちらの意思をコンピュータへ伝えなければなりません。

　先のコンピュータを人間に置き換えた場合は、命令の伝達手段は、私たちが普段使っている**言語**(厳密には「自然言語」と呼びます)を使った会話(あるいは文書での通達)となるでしょう。さらに言語には、それを構成する**文法**という決まりがあります。この決まりをお互いに共有しているからこそ、やり取りが成り立つわけです。

　母国語が共通な人同士だったら、その言語で会話しますし、母国語が違う人同士だったら、どちらかの言語あるいは「別の言語」で通訳や**翻訳**などを介しながら意思疎通を試みますよね。

コンピュータのプログラムの場合も同じで、コンピュータと人間をつなぐための「言語」＝**プログラミング言語**があります。

人間が日本語などの言語を使用するように、コンピュータも**機械語**などと呼ばれる独自の言語を使用します。プログラミング言語は、人間とコンピュータの中間にある言語と言えます。本書でも紹介する「Python」も代表的なプログラミング言語の1つです。

自然言語、プログラミング言語、機械語の関係

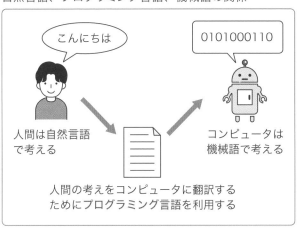

人間の言語の文法にはパターンがありますよね？例えば、日本語だったら、基本的な文の構造は「主語→目的語→述語」の流れになります。英語だったら「主語→述語→目的語」になるかと思います。

プログラミング言語も同じです。**基本的な文法のパターンさえ抑えておけば、あとはその組み合わせで命令を書くことができるのです。**

ちょっと想像してみてください。

「もし宇宙人に作業の命令を出さなければならないとしたら、あなたはどうしますか？」

同じ地球人である外国人と違い、宇宙人向けの辞書や翻訳システムはありません。ではもし、何らかの翻訳システムがあって、その宇宙人と交信できるとしたらどうでしょうか。

　コンピュータの場合もこれと同じです。コンピュータというものは正体不明な存在ではありますが、人間側はプログラミング言語で命令を入力して、その翻訳システムを仲介して、最後にコンピュータの言語（機械語）に変換する仕組みがあれば交信は成り立ちます。

　ちなみに、このようなプログラム言語を翻訳するシステムを、**コンパイラー**と呼びます。ただし、現在のプログラミングでは、技術的な専門家以外では、このコンパイラーの存在はほとんど意識しなくても大丈夫なようになっています。プログラミング言語で命令を書くだけで、あとはコンパイラーが勝手に機械語に翻訳してくれるので、安心してください。

プログラムの正体

プログラミング言語＝コンピュータに伝える「命令」を入力
Python言語　　　＝プログラミング言語の1つ
コンパイラー　　　＝プログラミング言語を機械語に翻訳

Python言語の例

`print("Welcome!")`

Welcome!

命令：「Welcome !」と表示させなさい

人気のプログラミング言語「Python」

　実際のプログラムの例を見てみましょう。

　先の「プログラムの正体」の図の「Python言語の例」の部分をご覧ください。この英文字で綴られたものがプログラミング言語の1つである Python（バイソン）の命令文です。ここでは、「『Welcome!』と表示させなさい」という命令が書かれています。プログラムの詳細については、第4章で解説いたします。

```
print("Welcome!")
```

　このようなプログラムの実体（文字列の塊）を**ソースコード**と言います。プログラミング初心者の方には、ほとんど呪文のように見えるだけかもしれませんが、ここではまったく気にする必要はありません。本書の後半で取り上げるプログラミングの文法の考え方を理解すれば、なんてことはないことがわかると思います。

　Python は、近年最先端技術として注目されている AI（人工知能）を開発するためのものとしても、最も注目されているプログラミング言語の1つです。プログラミングの入門用としても人気があり、こちらについては、本書の後半で実際にプログラミングを体験していただければと思います。

Python

https://www.python.org/

AI 技術分野については、特に近年では膨大なデータを高速かつ正確に処理する**ディープラーニング**（Deep Learning：**深層学習**）が注目されています。

このディープラーニングは、膨大なデータ（ビックデータ）を分析し、何らかの解を抽出するデータサイエンスのソリューションとしても有用です。その意味では、Python は、データサイエンスのための必須言語といっても過言ではありません。いずれにしても、いままさにホットなプログラミング言語と言えるでしょう。

歴史的には、Google にもプログラマーとして在籍したグイド・ヴァンロッサム氏によって、1991 年に作り出されました。

「HTML」でプログラムの実態を掴む

HTML（エイチ・ティー・エム・エル）は、Web ブラウザーなどで表示する Web ページを形作るための言語です。HTML は厳密にはプログラミング言語ではないのですが（マークアップ言語と呼ばれるものです）、命令をソースコードにするという点では共通しています。HTML のソースコードは、Web ブラウザーなどで簡単に確認することができます。プログラムの学習を開始する前に、HTML を利用してソースコードを確認しておきましょう。

その方法ですが、まず普段よく見る Web ページを何か適当に開いてください。そして、詳細な操作方法は使用する Web ブラウザーにも依存しますが、「このページのソースを確認」する操作をしてみてください。例えばパソコンで Chrome を使用する場合は、当該ページの任意の場所で右クリックすると、「ページのソースを表示」の項目がメニュー表示されるはずです。

Chrome で「ページのソースを表示」を選択する

ページのソースを表示を選択

表示されるソースコード

```
行を折り返す ☑
1
2   <html lang="ja">
3   <head>
4   <meta charset="UTF-8">
5   <meta name="viewport" content="width=device-width, initial-scale=1.0, viewport-fit=cover"/>
6   <meta name="format-detection" content="telephone=no">
7   <meta http-equiv="X-UA-Compatible" content="ie=edge">
8   <meta name="keywords" content="SBクリエイティブ, ソフトバンク クリエイティブ, ソフトバンク, SBCr, 雑誌, 書籍, ムック, IT書籍,
9   新書, ゲーム, コミック, マンガ, iPhone, iPad, スマートフォン, 携帯">
10  <meta name="description" content="SBクリエイティブから出版している, ビジネス書籍や実用書, 新書, PC書, ライトノベルなどの各書籍を紹介し
    ます。">
11  <link rel="shortcut icon" type="image/vnd.microsoft.icon" href="https://www.sbcr.jp/wp-content/themes/sbcr2019/favicon.ico">
12  <link rel="apple-touch-icon-precomposed" href="https://www.sbcr.jp/wp-content/themes/sbcr2019/apple-touch-icon.png">
13  <meta property="og:title" content="PC/IT書籍 | SBクリエイティブ">
14  <meta property="og:type" content="article">
15  <meta property="og:url" content="">
16  <meta property="og:image" content="https://www.sbcr.jp/wp-content/themes/sbcr2019/resources/images/noimage/ogp.jpg">
17  <meta property="og:site_name" content="SBクリエイティブ">
18  <meta name="twitter:card" content="summary_large_image">
19  <meta name="twitter:title" content="PC/IT書籍 | SBクリエイティブ">
20  <meta name="twitter:image" content="https://www.sbcr.jp/wp-content/themes/sbcr2019/resources/images/noimage/ogp.jpg" />
21  <!-- Global site tag (gtag.js) - Google Analytics -->
22  <script async src="https://www.googletagmanager.com/gtag/js?id=UA-36647643-1"></script>
23  <script>
24    window.dataLayer = window.dataLayer || [];
25    function gtag(){dataLayer.push(arguments);}
26    gtag("js", new Date());
27
28    gtag('config', 'UA-36647643-1');
29  </script>
30
31  <!-- All in One SEO 4.2.9 - aioseo.com -->
32  <title>PC/IT書籍 | SBクリエイティブ</title>
33  <meta name="description" content="SBクリエイティブが出版しているPC/IT書籍を紹介します" />
```

確認してみていかがでしょうか？

　ソースコードが何十行と並んでいるはずです。先ほども言いましたように、いまは呪文のようにしか見えないかもしれませんが、まったく気にする必要はありません。**あくまで、ソースコードの実態を感覚的に掴んでもらうことが目的です。**

　ソースコードの中には、様々な命令が含まれています。例えば、HTMLのソースコードには表示する画像のファイル名を指定する命令があります。その命令で示されているファイルを別のものに変更すれば、画面に表示される画像も合わせて変更されます。最初のうちは、**一からソースコードを記述するのではなく、既にあるソースコードの命令を書き換えて結果を確認する**、といった方法で学習を行うのもオススメです（著作権にはお気をつけください）。

　実際、皆さんが見ているWebページのHTMLは開発者が全て一から書いたわけではないことがほとんどです。いまでは、**WordPress**（ワードプレス）など、HTMLを1行も書かないで、Webページを作ることができるソフトもあります。

WordPress

 https://wordpress.com/ja/

HTML は、正確には「HyperText Markup Language」(ハイパーテキスト マークアップ ランゲージ)と言い、Web 技術の標準化を行う World Wide Web Consortium (W3C)※が仕様を策定しています。文章に対して構造 や体裁などの情報を付け加える特徴を持つ言語です。

ビジュアル的に作成することもできる

ここで紹介した Python は、比較的入門用のプログラミング言語では ありますが、あくまでもソースコードを書くことが前提となっていま す。入門者にとっては、このソースコードがとっつきにくく、つい敬遠 してしまう現象(言ってみれば「ソースコードアレルギー」的な)は、筆 者も日頃様々な職業や年齢の方々にプログラミングの授業やワーク ショップを行っていると、感じることがあります。

先ほどから述べているように、プログラミング言語には文法があり、 それに慣れてしまえばどうということはないのですが、高度な命令文な どを書くには然るべき学習量が必要なのも確かです。

そこで、もし、コンピュータへの命令を、このソースコードなしで書 くことができるツールがあればどうでしょうか。実はそのようなプログ ラミング言語が近年俎上にあがりつつあります。

→ MESH

その 1 つ目に紹介するのが、ソニー社の MESH (メッシュ) です。この商品は、 日頃の生活で「あったらいいな」と思うようなアイデアを、すぐに形に できるガジェットになります。

MESH の基本的な構成は、8 つのブロック(チョコレートのような雰 囲気のデザイン)と、それらを Bluetooth (ブルートゥース)通信で接続 したスマートフォンやタブレットなどの端末です。

※ W3C
https://www.w3.org/

MESH

 https://meshprj.com/jp/

　スマートフォンやタブレット端末の画面でプログラミングを行うので
すが、こちらではソースコードを書くのではなく、命令を表す単語で構
成された視覚的なソフトウェアブロックをつなぎ合わせながら、命令文
を構成します。例えば、「動き」ブロック（動きを検知するセンサー機能
搭載）を任意の扉に取り付け、扉が開いたらメールで離れたところにあ
るタブレットに通知する、などのシステムを簡単に作ることができま
す。

　この端末の画面上でのプログラミング操作が、あたかも「積み木」感
覚でできるので、子供はもちろん、プログラミングのまったくの入門者
でもすぐに楽しみながら何か作ることができます。

　このようなプログラミング手法のことを特に、**ビジュアルプログラミング**
（Visual Programming）と言います。読んで字のごとく、視覚的にプログラ
ムを組むことができるので、入門用だけでなく、技術的な専門家でなくて
もプログラムを作ることができるための仕様として、利用の事例が増えて
きています。

➔ micro:bit

ビジュアルプログラミング前提のツールは近年増えてきてますが、2つ目に紹介したいのが micro:bit（マイクロビット） です。

micro:bit

 https://microbit.org/

先ほどの MESH は国産ですが、こちらはイギリスの国営放送局 BBC が企画開発したビジュアルプログラミングキットになります。

基本的な仕様は先ほどの MESH に似ていますが、複数のブロックではなく 1 つの小さな電子基板に様々な機能が集約されています。また、ディスプレイ表示や磁気検知など、MESH にはない機能があったり、ビジュアルプログラミングの文法もやや趣が異なります。

いずれにしても、細かい違いはあれど、プログラミング入門者にとっては、遊び感覚で楽しみながら学べる秀逸なツールと言えるでしょう。

なお、第 5 章では、micro:bit を理由したプログラミングを体験いただけます。

ゼロからソースコードを書かずに、プログラム作成を支援する技術

近年は、ゼロからプログラミングを自分で書くというよりも、既存の要素を組み合わせて作っていくことが大事になってきています。

WebAPI が増えてきていることはその典型的な現象です。WebAPI とは、API（Application Programming Interface）の1つで、大まかに言えば、様々な Web アプリケーションの連携を可能にさせる技術です。例えば「Twitter API」「Amazon API」「Weather API」など、一般的なWeb アプリケーションや SNS などからは大概提供されています。昔はそれらさえも自分で作る必要がありましたが、現在では提供されているものを利用できます。プログラミングの敷居も随分と下がりました。

Amazon API

 https://aws.amazon.com/jp/what-is/api/

さらには、**イフト**（IFTTT：IF This Then That）という、プログラミングすら必要ない仕組みまであります。Web サービス間の連携する技術であることは WebAPI と同様ですが、画面上の操作だけで簡単に連携処理を作成することが可能になっています。

　こういうプラットフォームが出てきているということは、より多様なコトづくり、モノづくりになってきていると言えるでしょう。

イフト

 https://ifttt.com/

SECTION 03　プログラムはあらゆる場所で使われている

　さて、少々唐突かもしれませんが、ここでちょっと日頃の生活をイメージしてみましょう。どういう風にイメージしてもらってもいいですが、朝起きた瞬間からの自分の行動を、順番に思い返してもらうのがスムーズかもしれません。

あなたを取り巻くプログラム

　あなたは《目覚まし時計》の音で目が覚めます。《エアコン》をつけつつ、眠気覚ましに枕元にある《スマートフォン》をおもむろに取り上げ、着信やSNS、ニュースサイトなどを確認します。ある程度目が冴えてくると、ゆっくりとベッドから起き出して《トイレ》へ向かいます。服を着替え、《給湯器》のお湯を適宜使いながら顔を洗います。身支度が整ったら、次は朝ご飯の支度です。《電子レンジ》で温めたり、《冷蔵庫》から食材を取り出したりしながら、料理します。できたら、《テレビ》をつけて朝にニュースを見ながら、《ノートパソコン》の電源を立ち上げて、ながら見しながら食事します…。

　いかがでしょうか？上記は朝起きてから家を出るまでのほんの一例です。

　注目していただきたいのが、あなたを取り巻いてるコンピュータ（＝プログラムの塊）です。上記の例では《》でプログラムが使われているものを表しています。おわかりのように、日常生活は、プログラムだらけですよね。自分が直接操作している、していない、あるいは、望んでいる、望んでいないに関わらず、現代の文明においては、もはや気づかないレベルでプログラムはあらゆる場所に潜んでいるのです。

プログラムはさらに身近なものになる

　これらのプログラムの多くは、現状、技術的な専門家以外は関知することはほぼありませんが、将来的にはもっと身近になってくるかもしれません。

　そのような社会像を見据えた概念が、**ユビキタスコンピューティング**（Ubiquitous Computing）という考え方です。これは、1991 年に、アメリカのコンピュータサイエンスの老舗の研究機関であるパロアルト研究所の技術者だったマーク・ワイザー氏によって提唱されました。氏は、「The Computer for the 21st Century」※という論文の中で、「環境に " 溶け込む " コンピュータ」という表現を使っています。身のまわりのコンピュータが存在するということを意識しなくても、気がつかないうちにそれから我々の日常生活に恩恵を授かっている、という状態ですね。

　これは、最近よく耳にする **IoT**（Internet of Things）にもつながる考え方です。IoT の目指すところは、**インターネットがパソコンやスマートフォンに限らず、あらゆるモノに接続され、フィジカル（物理的）な空間と、サイバー（仮想的）な空間が「溶け合っている」状態**ですので、ユビキタスコンピューティングは、30 年前にはその構想を打ち立てていた、という事実は驚きに値するのではないでしょうか。

　IoT は技術体系を指すことが多いのですが、そのような技術体系を、社会や経済へ応用していくための取り組みが **Society 5.0** になります。これは、近未来を見据えた日本政府が提言している施策です。

※「The Computer for the 21st Century」
https://dl.acm.org/doi/pdf/10.1145/329124.329126?casa_
token=IauUGoSThmsAAAAA:i1QCK_oyqM0Sffvksp54Ajzo0Qg-
KfnuZtkEJpuBqWcexKwL9Ws6OR9_xuHOMPWPo-KwWFfGzpVstmg

Society 5.0

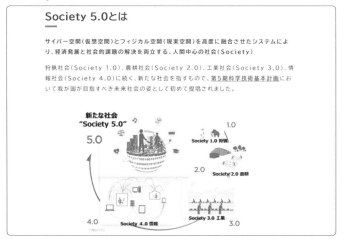

 https://www8.cao.go.jp/cstp/society5_0/

　「新たな社会」（Society 5.0）と名付けられたこの取り組みは、「サイバー空間（仮想空間）とフィジカル空間（現実空間）を高度に融合させたシステムにより、経済発展と社会的課題の解決を両立する、人間中心の社会（Society）」と謳っています。**モノとコトだけでなく、人の視点から真に分野横断連携した社会＝サービス化された社会**を掲げています。情報通信技術もインターネットだけでなく、アバターに代表される遠隔通信ロボットなど、IoT と AI を融合した新たな応用技術が浸透するのも特徴です。

　ところで、この Society 5.0 社会ですが、工業社会以来継続していたそれとは大きく変わると言われています。農耕社会までは自然を含めた地球環境との直接的な関わりによる社会生活を送っていました。農業という天変地異による予測不可能性や、科学技術がいまほど発達していないことから、人類は試行錯誤や直感なども働かせながら、自然を含めた地球環境と対峙していたと思われます。

　それが工業社会になって、テクノロジーの恩恵からある程度物事に予測（計画）が立てられるようになり、地球環境との整合性はそれほど気にしなくてもよくなります。雨が降ったからといって仕事内容が大きく変わる、ということは現代ではさほどないですよね。このように人間本来の持っている以外の現象を制御できるようになった時代観を、**人新世**（Anthropocene）と言ったりしますが、工業社会以来続いていた人新世の時代から新たな時代観に変わろうとしています。農耕社会のときのような予測不可能なことや不確実性に高い現象に対して対応しなければならない課題が増えてくるからです。

　いずれにしても、四半世紀以上前に構築された生活のいたるところに溶け込むコンピュータの技術が、いままさに社会生活や経済活動へ応用されていくことが大いに期待されています。

　コンピュータにはプログラムが必須です。**プログラムを自分自身で「使い込んでいく」スキルがあればあるほど、それだけビジネスチャンスが多く転がっているという時代はすぐそこにきている**と言えるでしょう。

Column　DX（デジタルトランスフォーメーション）

　Society 5.0 施策は、既に学術界や産業界で具体的な計画案としての実行が始まっています。その代表例として、**DX（デジタルトランスフォーメーション：Digital Transformation）**が挙げられます※。これは、ウメオ大学の教授であったエリック・ストルターマン氏によって 2004 年に提唱されました。

　DX は、AI や IoT に代表されるデジタル技術を活用し、生活やビジネスを変革していく取り組みです。

　DX を企業レベルで構想済みなのが、NTT です。**IŌWN**（アイオン）（Innovative

※ 総務省 デジタルトランスフォーメーション
https://www.soumu.go.jp/johotsusintokei/whitepaper/ja/h30/html/nd102200.html

Optical and Wireless Network）構想がそれで、同社が長年培ってき
た無線通信をはじめとしたインフラ技術をベースに、社内外と連携しなが
らシミュレーション技術など活用して人間によってよりよい社会生活を送れ
る選択肢を提示しています。

IOWN 構想

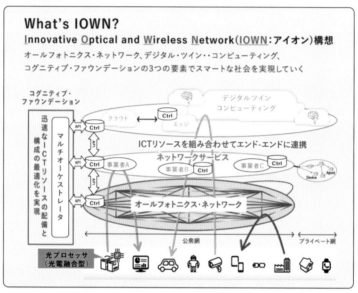

 https://www.rd.ntt/iown/

SECTION 04 | プログラムは誰が作るのか？

プログラムは誰が作るのでしょうか？

これにお答えするには、少々プログラム開発者（プログラマー）の歴史をたどる必要があります。

▌プログラムを作る専門家の存在

人類で最初のプログラマーは諸説ありますが、エイダ・ラブレス氏というのが有力説です。氏は、自動計算機の解析機関のプログラムを提案しました。同時に、とても興味深い名言を遺しています。

曰く、

「人が手順を説明可能なら、どんな機械でも自動化可能」

というものです。

この「手順」というのが、コンピュータへの「命令」＝プログラムそのものになります。日頃の生活で皆さんはたくさん「手順」をこなしているはずです。例えば、洗濯を思い浮かべてください。通常、洗濯機を持っている人であれば、手順は、

洗濯物を入れる→洗剤を入れる→スイッチを押す

のようになりますよね。

しかし、洗濯機がまだ発明されていない頃、例えば童話の桃太郎の物語では、「…おばあさんは川へ洗濯にいきました」というくだりでもあるように、洗濯は手動で行われていました。

ですので手順は、

川へいく→洗濯物を川の水に濡らす→ゴシゴシ洗う

というような流れになっていたはずです。

　ただしこれだと、手間がかかりますし、個人のスキルにも依存します。だから、洗濯機が発明され、その結果、洗濯が楽になったのです。

　このように、機械というのは、基本的には、人手で行うと手間がかかったり面倒なことや、やりたくない単調なことの手順をかわりに行ってくれる機能として進化してきました。そして、その機械のプログラムを作る人は、エイダ・ラブレス氏のような専門的知識とスキルを有した人に限られていました。

　ところが、時代は進んで、現代ではそうとは限らない事例が出てきます。2020年には、ギネス入りした世界最年少のプログラマーが誕生しました。その際の年齢は、なんと6歳です[※]。

　インドに住む小学2年生のアルハム・タルサニアくんは、「Python」のプログラミング言語を習得したとしてMicrosoft社から認定証を取得したそうです。Pythonはれっきとした世界中で使われているプログラミング言語なので、それを習得したという事実は、まさに大人顔負けのプログラマーと言えます。

　一方、若宮正子さんという現役プログラマーの方がいらっしゃいますが、なんと81歳のときにiPhone用のゲームを開発し、話題となりました[※]。

　若宮氏は、もともとは銀行員で、初めてパソコンに触れたのも60歳を過ぎてからだそうです。

　「hinadan」は、ひな人形を正しい位置に置き、ひな壇を完成させるゲームです。無料で入手でき、これまでに11万回以上ダウンロードさ

※「ギネス入りした世界最年少のプログラマー (6)」
https://jp.sputniknews.com/life/202011177942370/

※「81歳から独学！世界が認めた「最高齢プログラマー」若宮正子さん」
https://sukusuku.tokyo-np.co.jp/education/33131/

れています。海外からも注目を集め、米アップル社からは「世界最高齢のアプリ開発者」と紹介されました。

　また、氏は、モノづくりだけではく、講演などでエバンジェリストとしても活躍されています。昔より格段にプログラミングを含めたモノづくりの敷居が下がったため、こういう人も登場する世の中になったわけですね。

hinadan

　上記の2つは、世界最年少と世界最高齢のプログラマーの事例ですが、他にも多様なプログラマーを発掘しようと試みる事例があります。

　その一例が、**未踏ジュニア**です。これは、独創的なアイデアや卓越した技術を持つ17歳以下の小中高生および高専生を支援するプログラムです。未踏事業という、経産省所管の独立行政法人情報処理推進機構が主催しています。審査が通ると、担当のメンターをはじめ、各界で活躍するエンジニアや専門家の指導を受けながら、アプリ開発などに取り組むことができます。

未踏ジュニア

 https://jr.mitou.org/

チャンスは全ての人にある

　さて、いくつかあえて特徴的で現代的なプログラマーの紹介をしてきました。この節の冒頭で「誰がプログラムを作るのか？」と、問いかけさせていただきましたが、**「誰でもプログラムを作る」**時代がきたというのが言いたかったことです。先ほど挙げたのは少々極端な事例かもしれませんが、現代はプログラムを作るという行為がそれだけ専門家ではない人々にも大きく開かれているのです。

　近年では、プログラミング分野に限らず、様々なモノづくりやコトづくりで「シェアリング」や共創、協創といった形での活動が注目されています。これは**開発の比較的初期段階から情報公開し、「みんな」で知恵を共有しあってそれぞれ個人が何か取り組み、結果的に集団で産業全体を盛り上げていこう**という考え方です。

　実はこのような考え方自体は以前からあり、例としては、**オープンソース**があります。これは、ソースコード（プログラム）を無料で公開およ

び活用しあうという仕組みです。言い換えると、誰でもソフトウェア開発および供給に参加できるということです。

　自分で書いたソースコードが公開され、規定のライセンス範囲内で他人が利用可能になります。その代表的なシステムとして **GitHub**（ギットハブ）があります。また、このあたりのオープンソースの定義はオープンソース・イニシアティブ（OSI）※が制定しています。

GitHub

 https://github.co.jp/

　ある技術が発明されると、最初はその限られたスキルを持つ専門家たちによって基礎技術が発達していきます。そして、しばらくしてその技術をその専門家でなくても扱えるような仕組みができると、その技術を「使って」様々な社会的、経済的応用が試みられるようになります。プログラミングというのは、まさにその真っただ中なのです。チャンスは本書を読んでる皆さん全てにあります。

※ オープンソース・イニシアティブ（OSI）
https://opensource.org/docs/osd

プログラムはどのように作られるのか?

それはそうと、実際にいま皆さんの身のまわりにある一般的なデジタル機器のプログラムはどのように作られているのでしょうか?

まずは、一般的なプログラム開発の流れを見ていきましょう。

一般的なプログラム開発の流れ

最初にやるべきことは**要件定義**です。ここでは、そのシステムの要件を決めます。例えばスマートフォンの要件は、「いつでもどこでも電話ができる、メールができる、Web サイトを閲覧できる…」などとなります。

次は、**仕様定義**です。ここでは、機能やデザインを決めます。スマートフォンの場合、電話する際の操作方法やそのアイコンのデザインの策定などがそれにあたります。

そして、**開発**に移行します。ここでようやくプログラムの作成(ソースコードの記述)を行います。もうおわかりのように、王道的にはいきなりソースコードを書き始めるわけではありません。**円滑に開発を進めるには、その前段階(要件定義や仕様定義)で漏れやミスなどがないことが理想的です。**

開発段階でプログラムが完成したら、**テスト**です。ここでは、そのプログラムが正しく動くか検証します。このテストは、プログラムのエラー(「バグ」とも言います)をなくしたり、要件や仕様通りに操作ができるかなど、実際にそのプログラムを搭載した商品や製品がクライアントやユーザーの手元に届いたときに問題ない状態にすることが目的です。

そして最後が、**保守・運用**です。これは、納品されたプログラムが継続的に正しく動くように管理することです。セキュリティや情報漏洩対策など含めて、安全・安心にプログラムがきちんと動くようにするのが目的です。

以上が大まかな流れになります。このように各段階で何をするかについてドキュメントも作成し、各工程を順番通り進めていきます。この手法は、進捗が把握しやすく、品質の確保もしやすいなどのメリットがあります。ですので、比較的大規模な開発でよく取られる手法になります。

プログラム開発の流れ

ちなみに、プログラム開発に関わる専門家を示すものとして**プログラマー**という職種名を聞いたことがあるかと思います。厳密な定義があるわけではありませんが、上記のプログラム開発の流れの「仕様定義〜テスト」あたりの担当者を指すことが多いと言えます。ただし、開発規模や組織文化などによってはもちろん他の領域も担当することもよくあります。

また、**SE**（System Engineer）という職種名もよく聞くと思いますが、こちらは「要件定義〜保守・運用」までの全体を指すことが多い印象で

す。そのこともあって、プログラム開発全体を統括する役割の担当者を指すこともあります。

　なお、ここで示したような開発手法を、**ウォーターフォールモデル**（Waterfall model）と言います。英訳の「Waterfall」は「滝」を意味します。つまり滝のように、開発の「流れ」が上流から下流に怒涛の如く進んでいくような状況をイメージするとわかりやすいかと思います。

　ウォーターフォールモデルは、手堅く計画的に進めることができるというメリットはありますが、反面、デメリットもあります。

　その最たるものは「手戻り」です。一度これが発生すると、計画が崩れます。特に大型案件や問題発生工程がより下流であるほど、その手戻り作業が大きくなってしまうことは想像に難くないと思います。

　また、プログラム開発においては、実際にある程度の工程を進めてみないと結果がわからないことも往々にしてあります。例えば、要件定義や仕様定義で決めたことが妥当かどうか、実際にテスト工程まで進めてみないとわからない、といったことはよくあります。

　ちなみに、そのようなケースに適する開発手法が**アジャイルモデル**（Agile model）です。

　英訳の「Agile」は「素早く」の意になります。つまり、先ほどのウォーターフォールモデルにおける「要件定義〜保守・運用」までを素早く実施するための手法と言えます。ウォーターフォールのように全ての工程を1つの大きな流れとして捉えるのではなく、工程を機能や段階ごとに分割し、分割した工程ごとに「試作」を作成していきながら完成に近づけていく手法となります。

　段階ごとの試作の作成、確認を繰り返すことで「手戻り」の被害を少なくしつつ、効率的に開発を行う手法として多くの現場で用いられています。

まずは「カタチ」にすることが重要

ここで、少しその「試作」とは何かについて、見ていきましょう。

プログラミングの試作プロセスでなくてはならない考えた方が、**ラピッドプロトタイピング**（Rapid Prototyping）です。これは読んで字のごとく、発想プロセスでのアイデアを、Rapid =「素早く」カタチにしてみる、ということを繰り返すことを意味します。先ほどのアジャイル（Agile）とほぼ同義です。もっと言うと、**早い段階で「失敗」してみるということ**です。

では、そもそもなぜカタチにする必要があるのでしょうか？理由は2つあります。

1つ目の理由は、「伝わりやすい」からです。

多くのモノづくりやコトづくりでは通常、開発過程で誰かに自分の考えを説明する必要があります。いわゆるプレゼンテーションやデモンストレーションがそれですよね。これは、プログラムに限りません。

例えば、複合機の新商品のプレゼンをイメージしてみてください。機能についての文字がぎっしりの企画書と、モックアップ（適当な素材の外観モデル）では、モックアップの方が伝わりやすいのは容易に想像がつきます。もちろん、詳細な機能情報が必要なこともあるかと思いますが、まずは視覚的に実物に近いものをプレゼン相手に見せた方がイメージは湧きやすいはずです。

試作品があると「伝わりやすい」

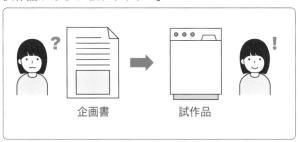

企画書　　　　試作品

　２つ目の理由は、「改善しやすい」からです。

　こちらはプレゼン相手というよりも作っている当人にとってのメリットで、昔からモノづくりの仕事では、「思ったようには動かない、作ったように動く」とよく言われます。要は、頭の中で思い描いているだけでは先に進まないよ、という教訓めいたこともそうですが、大事なのは**「作ってみて、わかることもあるはず」（だからまずはカタチにしてみよう！）**ということなのです。

　先ほどの複合機の場合であれば、「角に当たってケガしないかな？」「操作パネルの高さはどうかな？」といったことは物理的な制約上、実際にカタチにしないとわかりませんよね。

試作品があると「改善しやすい」

> 「思ったようには動かない、作ったように動く！」
> ＝作ってみて、わかることもある
>
>
>
> 角に当たってケガしないかな？
> それぞれの機能は動くかな？
> 操作パネルの高さはどうかな？
> …

　よくやってしまうのが、試作なのについつい「完成品」を目指してしまい、本来の目的を見失ったりいつまでたっても試作ができなくなることです。これには、注意が必要です。

　では、作成する試作機の粒度（忠実度や解像度）はどの程度を目指せばいいのでしょうか？基本的な考え方として、先ほどから述べているように完成品である必要はありません。むしろ、「Dirty Prototype」（汚い試作）と言ったりするほど、「雑」（rough）で構わないことの方が多いのです。

次の図を見てください。製造業での試作機の種別でよくある例で、横軸を解像度（細かさ）、縦軸を忠実度（再現度合）の４つに分類されています。

プロトタイプの種類

「雑」（Rough）でも構わない ＝ Dirty Prototype

機能だけが
わかりやすい

忠実度：高

| Works like プロトタイプ | Finished プロトタイプ |

全部作る
全体が確認できるけど
作るのが大変

解像度：低
（荒い）

解像度：高
（細かい）

焦点を絞って
速さを重視

| Rough プロトタイプ | Looks like プロトタイプ |

外見だけが
最終形に近い

忠実度：低

左下の領域の Rough プロトタイプは、新商品の企画会議の最初の方でコンセプトのイメージをプロジェクトメンバーで共有するときなどで、ほとんどが紙によるスケッチですよね。

右下の領域は、機能はともかく外見（デザイン）を見せたい場合、左上の領域は外見はともかく機能の流れを見せるための動画コンテンツなどです。

右上の領域となると、かなり忠実かつ細かい試作機で、他の開発部門との共有や上層部へのプレゼンテーションくらいのレベルですね。要は、その時々で求められている状況次第というわけです。

プログラムをビジネスに活かすための知識を学ぶ

　さて、この章では、プログラムの正体について見てきましたが、いかがでしたでしょうか?

　以下に、第1章について、まとめてみます。

・プログラムの正体は、身近な存在であり、我々は日々仕事やプライベートを含めてプログラムに囲まれて生活している。

・プログラムとは、「何らかの仕事をするためにコンピュータに命令を出すこと」である。

・プログラミングスキルとは、人間が普段使っている自然言語と、コンピュータの言語である機械語の「翻訳」を行うもの。

・狭義のプログラミングは、プログラマーというプログラム(ソースコード)を書く職業の人の成果物が中心。

・本書で言及している広義のプログラミングは、そのプログラムを「使って」、ビジネスに活かすための知識やスキルのことを指す。

・プログラミングを学ぶことで、論理的思考力を向上させ、仕事を効率化させることができる。

・プログラミング力を身につけることで、AIと協働しながら新しい物事を生み出せるようにもなる。

・プログラミングは、ビジネスパーソンの誰もが習得すべき一般教養(Liberal Arts)である。

　第2章では、そんなプログラミングの学び方について、学んでいきたいと思います。

CHAPTER

2

▼

学ぶべきこと

01 「手順」を「アルゴリズム」にする

SECTION

　この章では、プログラムの考え方について、紹介していきたいと思います。

　繰り返しになりますが、**本書では技術的なプログラミング（ソースコードの書き方）だけを学ぶのではなく、プログラムをビジネスに活かすための知識やスキルまでを学ぶことを目的とします。**その点を踏まえて読み進めていってください。

┃ルーブ・ゴールドバーグ・マシン

　まずは、こちらのイラストをご覧ください。

ルーブ・ゴールドバーグ・マシン

イラストの中央付近にはある人物がいます。右手は歯ブラシを持ち、洗面台に向かっています。この場面は、おそらく、朝起きて歯を磨くところなのでしょう。

注目すべきは、この人物を取り囲む機械装置のギミックです。左手では何かレバーのようなものを引いています。するとボールが弾き出されて、パイプの中を通過し、スロープを転がり、階段を下り…、という要領で機械の連鎖反応が続いていきます。そのような連鎖反応が延々と続き、最終的には、歯磨き粉のチューブが絞られて、人物の右手に持ってる歯ブラシに歯磨き粉がつき、ようやく歯磨きが開始できるという仕組みです。

これは、1910年代にアメリカの風刺漫画家であるルーブ・ゴールドバーグ氏が発案した「ルーブ・ゴールドバーグ・マシン」(Rube Goldberg machine)をイメージして作成したイラストです（日本ではピタゴラ装置といった方が通じやすいかもしれません）。

1910年代と言うと、産業革命による機械文明の浸透の最中であり、もうおわかりのように、当時の仕事が機械に乗っ取られる人間模様を風刺して表現したものです。現代ではAIに人間の仕事が次々と置き換わっているので、時代は繰り返しているというわけですね。

このイラストを見ていただいたのは、**プログラミングを学ぶために重要な「手順」の流れを日常生活の場面を例に取り上げて、象徴的に表しているからです。**

先のイラストでは、とある人物の日常に一部である歯磨きという場面において、機械による様々な「手順」を経て、歯磨きという行動に至るわけです。

▎命令を「アルゴリズム」で考える

　もっとも、読者の皆さんのほとんどは、普段の歯磨きは、

歯磨き粉を手に取る→歯磨き粉を歯ブラシに近づける→チューブを押す

というシンプルな人間の手による「手順」で行っていることでしょう。

　この手順というのは、第1章でもご説明したように、コンピュータへの「命令」そのものになっていきます。

　そして、コンピュータへの「命令」を考える際に重要なのが、**アルゴリズム**です。アルゴリズムは、**問題解決のための手順や操作を組み合わせたもの**、と言うことができます。

　ここで何が言いたいかというと、**アルゴリズムというのは、何もコンピュータ内のことに限ったものではなく、私たち人間の日常生活にたくさん潜在している**わけです。そしてそれは意識的にしろ無意識的にしろ、日々行っていることなのです。

　いくつか例を取り上げてみましょう。

➲ 例①　職場の最寄り駅のおいしいお店を探す

　あなたの職場の近くで、プロジェクトの打ち上げやお昼休みにいくお店のチョイスを考える画面を想像してみましょう。

　これは、次のようなアルゴリズムを実践していると言えます。

お店探しのアルゴリズム

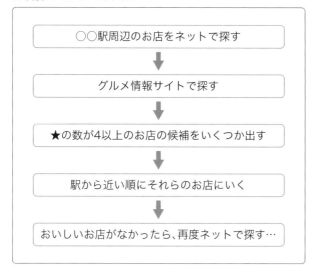

→ 例② マルチタスクをこなす

　ビスネスパーソンは、時期やプロジェクト状況によっては、休憩するほどの余裕がないほど忙しく、同時に瞬時に複数の作業をこなしたり判断を下して進めなければならない状況は、誰にでもあると思います。

　例えば、次のようなケースですね。

マルチタスクのアルゴリズム

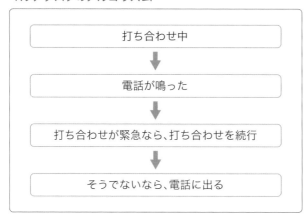

➔ 例③　四角形を描く

　上記 2 つはどちらかというと意識的に頭を使って実行している日常生活のアルゴリズムと言えます。しかし、日頃無意識に行っているアルゴリズムもたくさんあります。

　例えば、会議中に説明のためにホワイトボードなどでちょっとした図やイラストを描くときなどはいかがでしょうか。例えば、四角を描く場合、特に意識しなくても、以下のように複数の図形（線）を組み合わせているはずです。

四角形を描くアルゴリズム

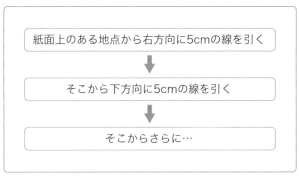

　このとき、（あなた自身は頭を働かせてるつもりはなくても）脳内でアルゴリズムが走っているはずです。

　このように日頃の皆さんの行動を思い起こしていただければ、我々は毎日たくさんの脳内アルゴリズムによって生活していることが、あらためて確認できると思います。そして、アルゴリズムは、普段我々が**論理的思考**と呼んでいることに含まれています。

　特に、ビジネスパーソンである皆さんにとっては、**アルゴリズムは新たに学習する必要があるというよりも、むしろ普段から仕事などに活用しているもの**と言えるでしょう。

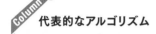

代表的なアルゴリズム

以下に、3つの代表的なアルゴリズムを紹介します。

1つ目は「分割統治法」です。

大きなタスクは、まず小さなタスクから分けて考えてみます。古代ローマが属国統治のために領土分割したのが起源（らしい?）で、書類整理、落とし物探し、Google検索などにも応用されています。

例① 分割統治法の例

> **バラバラの本棚をあいうえお順に整理する**
> 本を全部取り出して床に広げる→左から順に2冊ずつのペアにし、それぞれのペア内であいうえお順に並べ替えをする→並べ替えの終わったペアを左から2つずつ、計4冊をグループとし、その2つをそれぞれ左から順番に比較し、4冊をあいうえお順で並べ替える→並べ替えの終わった4冊を左から2つずつ、計8冊をグループとし、その2つをそれぞれ左から順番に比較し、8冊を並べ替える→…（以下、その繰り返し）

2つ目は、「日常生活での会話のアルゴリズム」です。

例② 会話のアルゴリズムの例

> **仲直りをする**
> 喧嘩をする→お互いの言いたいことを言う→時間をおいて頭を冷やす→自分が何に怒っているのか冷静に考える→自分の悪かったところを考える→相手が何に怒っているのか考える→伝えたいことを伝えたうえで自分が悪かったところをきちんと謝る→相手の意見や話も聞く→お互いに譲歩したりしてうまく折り合いをつける

3つ目は「Fizz Buzz問題」です。

プレイヤーは円状に座ります。最初のプレイヤーは「1」と数字を発言し、次のプレイヤーは直前のプレイヤーの数字に「1」を足した数字を発言していきます。ただし、自分番の3の倍数の場合は「Fizz」、5の倍数

の場合は「Buzz」、3の倍数かつ5の倍数の場合（すなわち15の倍数の場合）は「Fizz Buzz」を数のかわりに発言しなければなりません。発言を間違えた者や、ためらった者は脱落となります。「1, 2, Fizz, 4, Buzz, Fizz, 7, 8, Fizz, Buzz, 11, Fizz, 13, 14, Fizz Buzz, …」のように続いていきます。

目的は「仕組み」を理解すること

先ほどは、プログラミングの学び方として、アルゴリズムの考え方を紹介しました。

繰り返しになりますが、アルゴリズムについては、あらためて学び直すというよりも、**私たちの日常生活で無意識に行っている様々な言動や行動に含まれている手順を掘り起こす**、という方が自然でしょう。

私たちが生まれてから今日に至るまで、その思考を大いに活用して生きています。どんな仕事でも実に様々なアルゴリズムを活用しているはずですので、あらためていろいろと思い返してみてはいかがでしょうか。

ところで、何故いまプログラミング学習が注目されているのでしょうか？電気通信大学の「久野 靖」教授[※]は、その理由として、「コンピュータの原理の理解のため」としています。

プログラミングを行うということは、人間の自然言語をコンピュータの理解できる言語（＝プログラミング言語）に置き換えていく作業に他なりません。プログラムも人間と同様、その言語で様々な仕事をしてくれますので、**プログラミングを学ぶということは、自ずとコンピュータの頭脳であるプログラムの原理の理解を深めることになります。**

さらに、そのような学習を通して、コンピュータの仕組みを「想像」できるようになる状態を、**コンピュータ観**と表現しています。

※ 久野 靖：情報処理2016年04月号特集「プログラミング入門をどうするか」、情報処理学会、2016

　ここで重要なのは、コンピュータの仕組みを完璧に隅々まで「把握」することではなく、あくまで表層的な動きを「想像：Imagine」できればいいということです（「創造：Create」ではありません）。

　人間同士のやり取りもそうですよね。仮にあなたが上司で部下への指示をする立場にあるとして、新入社員ならともかく、何らかの指示に対して部下の細かい行動を全て把握していくのは、時間がいくらあっても足りなくなってしまいますよね。最低限、その部下の考え方のクセや知識、スキルなどを事前に知っておいて、あとは指示を出したら任せられるというのが、少なくとも理想の姿かと思います。

　これはコンピュータへの指示＝命令であるプログラムでも同様です。特に、今後は、AIなどある程度自律的に機能するシステムと協働していくことが重要になってきますので、どのみちその全ての動きを把握することが困難である事例が益々増えてくることでしょう。

　いずれにしても、**コンピュータの動きを想像できる程度にその仕組みを理解することが大事になります。**

　また、合同会社デジタルポケットの「原田康徳」氏※は、プログラミングでなければ学習できないこととして、「コンピュータの仕組み」を取り上げています。

　アルゴリズムだけの学習でしたら、先ほどのようにプログラミングをしないでもスキルアップする方法は種々存在します。しかし、そこをあえてプログラミングでやるとしたら、アルゴリズムに加え、コンピュータの仕組みを知ることができるのです。要は、効率的かつ体験的に学習できると言えます。

※ 原田康徳：情報処理 2016 年 04 月号特集「プログラミング入門をどうするか」、情報処理学会、2016

SECTION 02　プログラミングを学ぶ理由

　それでは、なぜビジネスパーソンが一般教養としてプログラミングを学習すべきなのでしょうか？

　それにお答えするには、本書の冒頭（はじめに）で導入だけ紹介したショートストーリーを思い出していただく必要があります。

　以下に再掲します。

A国は、宇宙飛行士を最初に宇宙に送り込んだとき、無重力状態ではボールペンが書けないことを発見した。

これではボールペンを持っていっても役に立たない。

A国の科学者たちはこの問題に立ち向かうべく、数年の歳月と多額の開発費をかけて研究を重ねた。

その結果ついに、無重力でも上下逆にしても水の中でも氷点下でも超高温でも、どんな状況下でもどんな表面にでも書けるボールペンを開発した!!

一方、B国は…

　では解答を、といきたいところですが、せっかくですので、B国はどのように解決したかについて、ここまでの本書での話を踏まえて、少し考えてみてください。

……

　さて、いかがでしょうか？回答例ですが、次のようになります。

一方、B国は、鉛筆を使った。

　こちらは有名なアメリカンジョーク※で、その解釈や出典は諸説あります。

　今回この例を引き合いに出したのは、これが技術とその応用サービスの関係性をわかりやすく象徴的に表しているからです。技術というのはもちろん、本書の趣旨であるプログラム（コンピュータ）もそれに含みます。

▍本来の「目的」を見失ってはいけない

　以上の前提に基づいて、少しこのショートストーリーを解説します。

　ここでは、最先端技術に対するこだわりの強い「A国」と、反対に最先端技術に対するこだわりはそれほどでもない「B国」が対立的に描かれています。

　地球外を含めたどこでも使えるペンを開発した技術力という点では、確かにA国は優れていると言えます。しかし、もしこのショートストーリーの趣旨が「宇宙空間でも字が書ける」ことであった場合、B国の方がはるかに冷静で賢明な判断と言えるでしょう。

　このストーリーはユーモアとして解釈されることが多いかもしれません。しかし、筆者を含めた技術開発に携わったことがある人間であれば、往々にして陥る「罠」であることは経験上わかるかもしれません。技術者は、ついつい最先端の技術に対する情熱のあまり、本来の「目的」を忘れてしまうことがあります。

　第1章で言及したことを思い出していただきたいのですが、**プログラムはあくまでビジネス上の課題を解決するための「手段」の1つにすぎない**ということです。

※「The Fisher Space Pen」
https://history.nasa.gov/spacepen.html

　ですので、何でもプログラムが解決してくれるわけでもなく、適材適所、その扱い方次第であるということを、忘れないでいただきたいと思います。

なぜプログラミングを学ぶのか

　では上記を踏まえて、あらためてプログラミングを学ぶ意義について、その時代背景を踏まえつつ紹介していきたいと思います。

→ VUCA の時代への対応

　現代社会は **VUCA** の時代であると言われています。VUCA とは、

Volatility（変動性）
Uncertainty（不確実性）
Complexity（複雑性）
Ambiguity（曖昧性）

の頭文字を取ったものです。1910 年代には軍事用語でしたが、2010 年代に入ってビジネスの世界でも使われるようになりました。

　そもそも、未来というのは見通せないことが圧倒的に多数のはずです。太古の昔から人類はそのような見通しのきかない将来に対して、様々な策を練ってきました。正確には現代社会は見通しがつきにくい社会であるというよりも、その見通しが利かない要素が増えてきてそれを受容されつつある社会と言えるでしょう。

　VUCA の１つである**不確実性**については、次の４つのレベルに分類した事例があります※。

※「Harvard Business Review」2009 年 07 月号、ダイヤモンド社、2009

４つの不確実性レベル

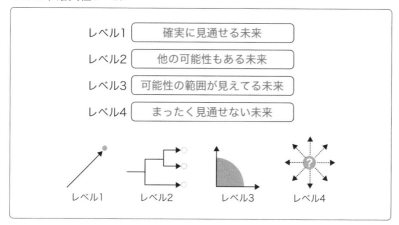

レベル１は、「確実に見通せる未来」です。日本における春夏秋冬や、人口推移などはそれにあたります。そういう意味では、「予測」可能な未来像と言えるでしょう。

レベル２は、「他の可能性もある未来」です。「もし○○なら、××になる。そうでないなら△△になる」というような、いくつかの可能性を提示できる未来像です。「ある商品を上層部に提案したら、承認が下りるか」などが例になります。

レベル３は、「可能性の範囲が見えてる未来」です。「大まかな方向性はこっちだと思うんだけど、具体的にはよくわからない…」というような未来像です。例えば、ある商品の新市場開拓などがそれにあたります。

レベル４は、「まったく見通せない未来」です。五里霧中な状況と言い換えてもよいでしょう。例えば、人類はどう進化するのか？というような命題がそれです。

基本的には、レベルが上がるほど、時系列的に先の未来で、リスクも高くなっていきます。

また、時間がたつと、自然とレベルが下がっていくのが通例ですが、

VUCA の時代ではレベル 1 のような確実な未来というのは少ないと考えてよいでしょう。

先の見通しがつかないという事実に対して、ネガティブな側面で捉えると不安感や心配事が強調されてしまいます。しかし、ポジティブな側面で捉えると、それだけ「新しい価値を創り出す」チャンスがあちこちに転がっている、と解釈することもできるので、いろいろとチャレンジするには面白い世の中になると言えるでしょう。

第 1 章で、現在の仕事の一部が AI に取ってかわられたり、新しい仕事が増えるなどの事例を出しましたが、**既存の仕事観にとらわれずに、むしろ「新しい仕事を創る」くらいに考えても差し支えないと思います。**

プログラミングを学ぶことで、このような新しいモノの見方や考え方が身につけることができます。また、先述した日常生活のアルゴリズムについても、**普段何気なく行っているビジネスワークをアルゴリズムとして再解釈することで、仕事も効率化して楽しむこともできるようになるでしょう。**

→ プログラミング教育の開始

先に述べた通り、現代は VUCA の時代と言われており、仕事の学習方法も時代に対応したやり方を取り込んでいくことが効率的であると言えます。

しかしこのことは、何も現代社会のビジネスシーンに関わる人たちだけに限ったことではありません。それは、教育分野にも大いに関係してきています。

具体的には、小学校から高等教育まで、日本には年齢などに応じた段階的な教育機関があり、それぞれの段階において、適切な授業カリキュラムの一部として様々な取り組みがされています。その 1 つとして、文部科学省が推進している、小学校での**プログラミング（的思考）教育**が挙げられます。

文部科学省 プログラミング教育

https://www.mext.go.jp/a_menu/shotou/zyouhou/detail/1375607.htm

　これは、小学校での授業の一環として、全ての生徒にプログラミングの体験をさせることで、**来たる VUCA や DX（デジタルトランスフォーメーション）の時代に必要な論理的思考力や創造力を高めていくための政府の政策です。**

　それは単にプログラム（ソースコード）を書くだけではなく、アルゴリズムの考え方やコンピュータの知識など、広義の**一般教養**（Liberal Arts）の授業として行われています。もうおわかりのように、本書でも取り上げている趣旨や内容が多く含んでおり、まさに近未来を見据えたタイムリーな取り組みと言えます。

　いまこの教育を受けている子供たちは、将来大人になったときには、ビジネス教養としてのプログラミング知識やスキルの学習基盤ができていると言えるでしょう。まさに、「**読み・書き・プログラミング**」の時代がすぐそこまできているのです。

➔ デジタルリテラシーの重要性

　教育の場合は、浸透や学習効果が見られるのは、やはりそれ相応の年月がかかりますので、こちらは遠未来の視点からじっくりと取り組む事例となります。

　近未来のプログラミングを含むデジタルリテラシーを全ての人々がビジネス分野で「道具」として使いこなすようになってもらうための取り組みもあります。それが、2021 年 9 月に発足された**デジタル庁**です。

デジタル庁

https://www.digital.go.jp/

　こちらは日本政府が立ち上げた行政機関で、「誰一人取り残さない」デジタルリテラシーの一様化をコンセプトに、活動を展開しています。

　本書執筆時点では発足してから日が浅く、まだ事例は多くありませんが、全国民からの様々な当該分野に関わる意見などを収集するためのアイデアボックス制度や、SNS やブログ、動画コンテンツの充実など、時代に即した情報の発信や受信、共有手段という意味でも、本書の趣旨的に大変興味深い試みかと思います。

プログラミングとデジタルリテラシーは切っても切り離せない関係にあります。ビジネスシーンでのプログラミング活用を推進する立場としても、その仕組みを創り出していく立場としても、それを後押しする効果は大いに期待されるところです。

→ 転職力のアップ

よく言われるように、高度成長期の終身雇用が崩壊しつつあります。新卒で入社して定年までその会社で働き続ける、いわば「メンバーシップ制」での雇用ではなく、プロジェクトや案件に対して適材適所に然るべき人材をアサインしていく「プロジェクト制」の企業は、今後も増加していくと思われます。いままで以上に自分自身でキャリアデザインを行い、知識やスキルを向上させていく姿勢が問われる時代になっていくことでしょう。

厚生労働省の**働き方改革**が提言されてから久しいですが、その Web ページにも、「働く方の置かれた個々の事情に応じ、多様な働き方を選択できる社会をすること」とあります。

働き方改革(厚生労働省)

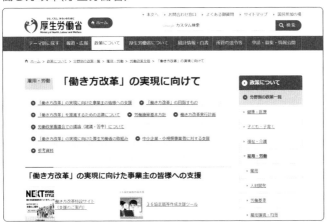

https://www.mhlw.go.jp/stf/seisakunitsuite/bunya/0000148322.html

　そのような時代には、**転職力**を伸ばすのも1つの選択肢です。これは何も必ず転職しなければならないということではなく、いつでも転職できるための知識やスキルを備えておくということが重要だと思います。その観点から、プログラミングの学習は1つの有力手段だと言えます。

　なぜなら、プログラミングを少し頑張れば、**どのような業種でもビジネス教養として役立つ知識やスキルが身につけられるからです。**

　これまではプログラミングスキルは相応の技術力がベースにないと仕事としては厳しいものは確かにありました。しかし、現在は、繰り返しになりますが、その敷居は明らかに下がってきています。先の文部科学省のプログラミング教育の例などのように、時代が少し進むと、今度はみんなが当然の如くプログラミング力を身につけることになります。プログラミングを身につけるには、いまが絶好のチャンスと言えるでしょう。

➲ 副（複）業力のアップ

　働き方改革の推進にともない、脱・終身雇用型の就労が今後増えていくことは先に述べた通りですが、何も転職のみにこだわる必要はありません。副業や複業、兼業も選択肢の1つかと思います。

　つい数年前までは、これらの選択肢は通常の民間企業の正社員の立場としては模範的であったとは言えなかったかもしれません。しかし、厚生労働省では、**働き方改革実行計画**を踏まえ、現在、副業・兼業の推進を図っています。

副業・兼業(厚生労働省)

https://www.mhlw.go.jp/stf/seisakunitsuite/bunya/0000192188.html

　本業として何らかの企業に正社員として所属したうえで、副業や複業として、プログラミングを生業とすることも十分に可能性はあるかと思います。

　プログラミングであれば、ある程度知識やスキルさえあれば、ちょっとした空き時間や場所を問わず、有力な収入源になりえます。さらに、スキルアップしていくことによって、創造的な仕事に醍醐味である、自分のモノやサービスを創るという達成感や満足感を得ることもできるでしょう。

　案件レベルも様々なものがあり、何も最初からハイリスク・ハイリターンな案件でなくても、徐々にレベルアップしていけばいいのです。加えて、副業や複業は、転職ほどハードルが高くないこともあり、本書をお読みの方々は、ぜひとも機会があれば副業や複業としてのプログラミングにも挑戦していただければと思います。

03　デジタルサービスのビジネス価値

　これまで言及してきましたように、プログラム（＝コンピュータ）と仕事の結びつきは、年々深まってきています。

　プログラムはツール（道具）であり、AI や IoT 技術を「使う」知識やスキルであるプログラミングは、教養としてその重要度は増してきているのです。これには、ビジネス的な価値が変わってきているという現象にも起因しています。

デジタルサービスの価値の変遷

　ここで少し、そのプログラミングを含めたデジタルサービス分野のビジネス価値の変遷を見てみましょう。

⮕ 家事の外部サービス化

　産業としてのサービス化の進展という点では、まず日常生活における「家事の外部サービス化」が挙げられます。

　掃除や洗濯などの家事はもともと、家の中で居住人を中心に行われていました。桃太郎のお話にある「おばあさんは川へ洗濯に〜」のくだりなどがそれですね。それが時代とともに、**自分で行うのではなく、家外の誰かに外注する機会が増えてきた**わけです。掃除についても同様で、ハウスクリーニングサービスが便利です。食事については、宅配やケータリングサービスなど、外食産業は次々と新サービスを提供しています。最近では、家事代行サービスのように、家事全般の支援をしてくれるサービスも盛んになってきています。

　こうしたライフスタイルの変容をもたらしたのが、**ICT**（Information and Communication Technology：情報通信技術）です。

　具体的には、インターネット技術です。そのコンテンツとしては、複数の E メールや SNS を駆使して、様々なサービスを使っていると思います。コンサートや宿泊予約、交通機関なども最近ではほぼネットで予約できますし、口コミなどからサービスの評価や情報共有できるので、自分の趣味趣向にあったサービスを検索して使うことがやりやすくなっています。

　またインターネットを利用する道具も、進化しています。Windowsが初登場してから 30 年以上たちますが、それ以前はコンピュータが一般の人々には使われていませんでした。皆さんは、当時の生活に戻ることが想像できるでしょうか？さらに、ちょっと前まではパソコンでしかできなかったことが、いまはスマートフォンでもできるようになってきています。スマートフォンの画面はもはや我々によって現実の一部なわけです。

　最近ちょっと話題なのは、ディスプレイの画面は今後縦長が一般化するのでは？ということです。テレビやパソコンなど、現在のディスプレイは横長が標準的かと思いますが、それよりも見つめている時間が多いスマートフォンは縦長ですよね？

　いずれにしても、インターネット技術と、それを扱うための道具の一般化が、サービスの外部化の浸透に大きく貢献しているわけです。

➡ 業務の外部サービス化

　サービスの外部化という点では、それは家事だけにとどまりません。ICT 技術の普及も相まって、仕事環境も大きく変わっています。

　事務処理サービスの外部化の事例としては、第 1 章でも紹介したシナモン社の AI サービスがあります。

　オフィス用品分野で話題なのが複合機（印刷機）メーカーです。例えば印刷機は読んで字のごとく昔はコピーや印刷などに機能が限られていました。ところが、その後、スキャンやファックス、冊子印刷など次々

と機能が増え、名前も複合機（Multi-Function Printer）に変わり、ユーザー側も全ての機能を把握する人はほとんどいなくなりました。それだけ便利になったのですが、反面、「機能が多すぎて逆に使いづらい」と感じるユーザーも増えてきました。そこでメーカーは本来の目的（オフィスワークを便利に快適にする）に立ち返り、いまでは「印刷ソリューション」や「オフィスコミュニケーション」を付加価値として謳う企業が増えてきました。つまり、**その付加価値は機能＝モノというよりサービス＝コトがメインになってきた**というわけです。

→ ビジネス価値のシフト：プロダクトからサービスへ

　ICT サービスの普及により、製造業（メーカー）においてもいち早くビジネスモデルのシフト変換を試みた企業もありました。IBM 社はその代表例です。いまや ICT サービスという点において世界的に不動の地位を築いていますが、もともとはハードウェアメーカーでした。また、Apple 社も同様です。当社が現在のスマートフォン普及の全世界的な発端になったことは否定できないでしょう。また、Microsoft 社の存在も無視できません。1990 年代初頭に登場した Windows は、専門家による専用機であったパソコンをエンドユーザー（非専門家を含む）の汎用機への普及に大きく貢献しました。

　これらの企業に共通するのは、**単にハードウェア＝モノ＝機能を次々創り出すということだけでなく、ユーザーの生活シーンをターゲットにし、さらに社会に広く浸透させるサービスをデザインしてきた**ことにあります。

　音楽サービスも、少なくともここ数十年は、プロダクトからサービスへのビジネスモデルの変遷という激動の時代を駆け巡った代表例と言えます。それまで録音の概念がなかった時代から（＝ライブのみ）、レコードメディアの登場により録音（＝記録）ができるようになり、音楽鑑賞者の層を劇的に増やしました。やがて CD メディアが登場し、レコード

よりもさらに容量も増え劣化しないそのメディアの性質から音楽コンテンツそのものを変えたりもしました。現在ではMP3など音楽ファイル配信も当たり前ですよね。YouTube視聴をあえて広報的に活用するなど、ユーザー側（リスナー）の体験もそれまでとは異なり多様になりました。反面、著作権問題など、そのコンテンツに加えてビジネスモデル自体も見直す時期がきているとも言われています。サービス価値というのは、無形であることなどから知的財産面ではモノの場合と比較してまだまだ検討の余地がある分野です。

このように、それまではプロダクト開発を主幹業務として行ってきた企業なども、続々と**サービス＝ユーザーの仕事や生活体験の提供をメインターゲットとする方針**に切り替わりつつあります。また、音楽分野など、もともとサービス提供を得意としてきた企業も、より多種多様なサービス化に備えるべく、勢いを増しています。

これらの企業たちは、言ってみれば、**仕事や日常生活の「ストーリー（物語）」を提供するサービスに移行してきている**と言えるでしょう。本章の冒頭で、日常生活の手順のアルゴリズム化について言及しましたが、まさに誰でも仕事を含めた日常のプログラミングをする時代に差し掛かりつつあるわけです。

最先端技術の概要と動向

ビジネス教養としてのプログラミングという点では、最先端のデジタル技術の概要とその動向を知っておくと、様々な局面で有利になると言えます。

その理由としては、**「道具」としてのデジタル技術の知識を身につけることができる**からです。先に述べたように、デジタル技術＝コンピュータの仕組みや動きを「想像」できること、つまり、コンピュータ観を持つ程度の知識を備えておくことが大事なのです。そして、デジタル技術は日進月歩です。変わらないこともありますが、次々と変化して

75

いくものもたくさんあります。ですので、今後継続的にプログラミングを仕事のスキルとして活用していくには、その時代で潮流の技術をある程度は抑えておく必要があります。

　以下、現代潮流の技術領域を事例とともに取り上げますので、参考にしてください。

⊃ AI（人工知能）

　AI（人工知能）は、現代最もホットな技術の1つです。

　技術自体は数十年前からの蓄積がありますが、その社会実装は今後もさらなる深耕が期待されています。

　そんなAI分野の社会実装による近未来のあるべき姿について取り上げた良策な映画があります。それは、「AI崩壊」※です。この映画は2020年に公開された、AI技術が社会に浸透した近未来を舞台に描いたサスペンスです。

　AIを扱った映画はたくさんありますが、この映画に関しては、監督がかなりAIについて勉強されている影響による深い洞察や、AI研究者の監修による正しい技術観や応用可能性について描写されていると思います。

　AI入門としてオススメな映画ですので、ぜひ一度ご覧になってみてください。

⊃ ロボット

　ロボットも最先端技術の塊のような例の1つです。映画やアニメなどにも昔から頻繁に登場するので、イメージしやすいと思います。

　例えば Pepper（ペッパー）は、非常に身近な例として挙げることができます。

※ 映画「AI崩壊」
https://wwws.warnerbros.co.jp/ai-houkai/

コミュニケーションロボット「Pepper」

 https://www.softbank.jp/robot/pepper/

　このロボットは、接客サービスの場面などで利用されていましたが、後に様々な開発者の参入、さらにはユーザー自身が機能をカスタマイズできる「ロボアプリ」など、多様な展開を見せています。

　かなり昔から、ロボットの技術自体の研究は行われ続けてきましたが、この数年、そのビジネス展開は目を見張るものがあります。本来は通信サービス業だったソフトバンク社が、それまでメーカー企業が中心だったロボット開発に着手したということで、発表同時は業界を騒然とさせました。

　そんな華やかなイメージの強いロボット分野ですが、一方で、比較的地味だけど、**我々のビジネスシーンに大変寄与している事例も存在します。それは、オフィスで活躍するロボットです。**

　オフィスでのロボット運用の構想として、富士フイルムビジネスイノベーション社（旧：富士ゼロックス社）の **Smart Work Innovation** が挙げられます。

「Smart Work Innovation」構想

https://www.fujifilmholdings.com/ja/sustainability/svp2018/workingstyle/01.html

　これは AI などの応用技術により、オフィス内の様々な業務の支援を行うシステム構想です。オフィス内にセンサーを配置し、従業員の表情や会話からより効率的なコミュニケーション支援を行ったり、ストレスチェックなど、「いつでもどこでもオフィスワーク支援システム」ということができるでしょう。

　この場合、ロボットの役割としては、サービスの受け皿であり、また提供口でもあります。例えば、会社の受付で活躍するシーンを想像してみましょう。読者の皆さんがその会社を訪問するとします。現状だと受付は人間が行うことが多いのですが、この構想ではロボットが代替することになります。訪問者はロボットに訪問先の部署や担当者を告げ、ロボットがその受け答えをすることになります。

　ただし、何も全ての受付の仕事をロボットが行うとは限りません。人間でないとできない、あるいは人間が行った方がよいこともあるでしょう。そのようなときには、そのロボットからバックにいる人間の担当者にシームレスに引き継げるようにしなければなりません。もしかする

と、近未来の受付担当者の仕事は、ロボットを使いこなすことができる
オペレーターがメインになる可能性もあります。そのためには、そのロ
ボットの大まかな仕組みや、操作方法を理解しておかなくてはならず、
この場合もプログラミングのスキルが役立つことでしょう。

　また、このプロジェクトはもともと、仕事でアイデアを出すときの
「クリエイティビティの民主化」を謳ったコミュニケーションロボット
の開発がきっかけでした。

ROX PROJECT

 https://takebon.jimdofree.com/

　これは、例えば、会議中で何か意見を言いたくても、その場の雰囲気
や自分の立場次第では、言えずにもどかしくなる経験は、読者の皆さん
もお持ちかと思います。そのような際に、ロボットがファシリテーター
役を担うことで、自由に意見を出し合うことで会議が円滑に進行できる
ようになるはずです。このようなシーンでも、そのロボット＝コン
ピュータの仕組みや動作原理を知っておくと、より効果的に扱えるよう
になるはずです。

➔ スマート○○

　近年、「スマート○○」と謳っている構想が増えています。

　○○の部分には、例えば、「スマート・シティ」「スマート・ハウス」「スマート・農業」、そして「スマート・ワーク」など、様々なメディアや業種が入ります。大事なことは、いずれもこの「スマート」（英訳：Smart）の意であり、直訳すると「賢い」○○ということになります。

　要は、前出の Society 5.0 社会を目指したサイバーフィジカルな社会を目指していこうという構想になります。インターネットが日常生活の様々なメディアを介して情報が円滑に連携すれば、自ずといつでもどこでも便利な社会を提供してくれる、そんな意味合いが込められています。

　あえて特徴的な事例を取り上げると、トヨタ自動車は、アメリカのラスベガスで開催された世界最先端の技術の見本市である「CES2020」※において、サイバーとフィジカルが交錯する実証都市「**コネクティッド・シティ**」構想を発表しました。

「コネクティッド・シティ」構想

 https://global.toyota/jp/newsroom/corporate/31170943.html

ご存じの通り、トヨタと言えば本来は車を作る会社で、高度成長期くらいまではより速くスタイリッシュな車を中心に世界展開しています。近年では、モビリティ（小型の車）など、車の概念を変える商品や構想を打ち出していましたが、それを街づくりまで拡充した構想は、センセーショナルな報道として注目されました。

このように、**単に家具や建物内などの単体ではなく、あらゆる生活環境にコンピュータが組み込まれて適材適所に情報やサービスが提供される**ことになります。既にスマートフォンは多くの人にとって体の一部と言えるくらい身近なものになっていると思いますが、近い将来、生活環境のメディアの多くがそうなるわけです。

⤳ モビリティ

モビリティは、近未来の移動手段のメディアとして現在注目されています。

現在の最たる移動手段は、いうまでもなくクルマ（自動車）であり、読書の方々も日頃ご自身で運転したり、運転しなくてもお世話になっている人も多いはずです。

この近未来のクルマとしての構想が、MaaS (Mobility as a Service) になります。

これは読んで字のごとく、サービスとしてのモビリティであり、自動車業界では今後の姿としてもはや当たり前の概念です。**クルマという「モノ」を売るのではなく、それを活用して如何に役立ち、幸せをもたらすかという「サービス」を売る**というのが基本的な開発上の考え方になります。

※ CES
https://www.ces.tech/

MaaS

 https://www.mlit.go.jp/sogoseisaku/japanmaas/promotion/

　産業構造的にこの MaaS に取り組んでる特徴的な事例としては、MONET Technologies という企業です。当社は、トヨタ×ソフトバンクという、モノを創り出すメーカーと、サービスを生み出す IT 企業の最大手による共同出資で立ち上がった企業です。自動運転車の実証実験や、モビリティとスマートフォンを連携したサービスなど、様々な先進的な取り組みを行っています。

　将来のクルマ（の運転）などについても、インターネットにつながったコンピュータが組み込まれていき、電話機からスマートフォンの進化のように、よりカスタマイズされたメディアになっていくかもしれません。そのような場面でも、プログラミングのスキルは役立つことでしょう。

MONET Technologies

https://www.monet-technologies.com/

→ XR

XR（クロスリアリティ）は、これまで取り上げた最先端技術の中でも、特にここ数年、社会的認知度と社会実装が急激に進行している領域です。

Facebook 社が XR 領域に乗り出し、社名を「Meta」に変更したことでも話題となりました。他にも、「メタバース」や「デジタルツイン」など、それ以前からも XR 関連の社会実装の構想が話題になっています。

XR 技術は、**VR（仮想現実）**、**AR（拡張現実）**、**MR（複合現実）**の総称[※]ですが、その本質は、**物理世界と仮想世界が入り混じった「新しい現実を創る」**という点にあります。

仮想世界は、人類が獲得した新しい「資産」ということができます。人類史的には、例えば、農耕社会において土地という資産を獲得できたことで、それまでよりはるかに安定的な食物である麦や米などを得ることができるようになりました。また、工業社会では、石油という資産を

[※]「VR 等のコンテンツ制作技術活用ガイドライン 2018」
https://www.vipo.or.jp/news/15212/

獲得することで、大量消費大量生産が可能な機械の動力源を得ることができました。

　そして、現代では XR 技術による仮想世界という資産を開拓することで、日常生活や仕事、コミュニケーションなどの選択肢を増やす＝自由を増やす機会を増やすことが期待されていると言えるでしょう。

　また、近年ではオンライン業務や会議が台頭してきています。これらは体験的にはまさに XR 技術の社会実装の先駆けということができます。そして、**これらの技術もコンピュータ＝プログラムで構成されているため、効率よく使いこなすための知識やスキルが必要であり、プログラミング学習が役立つことになります。**

　例えば、現在主流なオンライン会議ツールとしては、**Zoom**、**Microsoft Teams**、**Google Meet** などが挙げられます。これらは、画面越しに音声や映像を共有できる仕組みです。

Zoom

https://explore.zoom.us/ja/products/meetings/

　また、**SpatialChat** は、上記のツールでは困難な心理的距離感を縮めることにフォーカスしたツールです。自分のアイコン表示を自由に動かすことができ、画面上の任意の位置に配置された会議メンバーのアイ

コンと適宜距離を取ることができます。ちょっとした雑談タイムやパーティーなどの利用に対して、現実のそれにより近い感覚になるので、効果的と言えるでしょう。

SpatialChat

 https://spatial.chat/

　さらなる発展形として、VR空間（メタバース）に自分自身を含めたアバターが動き回って対話することができる、cluster などのツールも出てきています。

cluster

 https://cluster.mu/

　こうなってくると、限りなく現実世界の複数人でのコミュニケーションを再現するだけでなく、仮想世界ならではのメリットや楽しさを享受することが可能となってきます。

→ データサイエンス

　データサイエンス = GAFA やビックデータなどの強大なデータベース、という印象を持っている人も多いのではないでしょうか？

　データサイエンスは、コンテンツやメディアというよりも、**知識やスキルそのものを指している技術体系**と言えます。その意味では、プログラミング能力に近い概念で、非常に近接した分野になります。

　その技術体系自体は、統計学や人工知能など、様々な数値データの分析や解析するための学術分野で古くからあるものです。今後、読者の皆さんにとって大事なことは、こちらも、それらの技術をどのように「使うか？」という点になります。

　「データをどのように活用し、価値を生み出すか？」= データサイエンスとすると、データ活躍の場を設計する人 = データサイエンティストという職業になります。そして、データというのは生み出すだけでは完結しません。

　一般社団法人データサイエンティスト協会では、次世代のデータサイエンティストに求められる知識やスキルとして、「データサイエンティストの3つのスキルセット」※を定めています。本定義では、技術を扱う「エンジニアリング」と事業を扱う「ビジネス力」の間に入り、「情報処理系の技術を理解し、使う力」として「データサイエンティスト」を位置づけています。

　おわかりのように、まさに本書で言及しているプログラミング力に近いと言えます。

※「データサイエンティストの3つのスキルセット」
http://www.datascientist.or.jp/files/news/2014-12-10.pdf

プログラミングの学習は、言葉の学習に似ています。特に、母国語でない外国語の習得に近しいと言えます。

皆さんは、どのように外国語を習得したでしょうか？例えば、母国が日本の場合、義務教育では英語の学習が必須です。皆さんは、まず英語の**文法**を習ったはずです。

そして、その文法を元にした簡単な構文（「This is a pen」など）を通じて、その文法の扱い方を知ります。この段階ではまだ見よう見まね（いわゆる「写経」）に近い状態ですが、名詞や動詞など「単語」をたくさん覚えて語彙力を伸ばしていくことで、徐々に「写経」から、文法や単語の「組み合わせ」パターンが増えていき、やがては自由自在に英文を書けるようになっていったはずです。

この一連の流れは、プログラミング学習においても当てはまります。プログラミング言語も、ほとんど人にとっては母国語でない外国語と同じように、それまでに人生ではまったく関わりがなかった言語体系のはずです。プログラミング言語においても、**まずは基礎的な「文法」を覚える必要があります。そして、それらの文法を使った簡単な構文（「文字を画面に表示」など）を通じて、その文法の扱い方を知ります。**

この段階ではまだ「写経」に近い状態ですが、コンピュータへの命令の種類や命令方法など「文法」や「単語」をたくさん覚えて語彙力を伸ばしていくことで、徐々に「写経」から、文法や単語の「組み合わせ」パターンが増えていき、やがては自由自在にソースコードを書けるようになっていくはずです。

…いかがでしょうか？外国語とプログラミング言語の学習の関係性は、非常に近しいと感じていただけたかと思います。

　以下にプログラミング学習をしていくためのいくつかのポイントを記載しておきます。

とりあえず何か作ってみる

　プログラミングの入門として、とりあえず何か作ってみるのが手っ取り早いと思います。

　通常、何らかのモノづくりの場合、その作る動機としてアイデアがあります。例えば、何か日常生活や仕事上で困っていることやこういうものがあったら楽しくなるかも？のように、**アイデアをまず考案し、そしてそれを実現するプログラムを書いていく**ことを目指してもよいかもしれません。

　あるいは逆に、まずはプログラミング言語の基礎文法などを覚えながら簡単なプログラムを作っていきつつ、**適宜そのプログラムを「改造」していきながら、ふと思いついたアイデアを実現する**、なども一策かと思います。

　いずれにしても大事なのは、あまり構えずに、まずは試しに「作って"みる"」（＝○○してみた系）ことで、そして将来的には何かに役立ったり楽しんだりするものにしていくことを意識してみてはどうでしょうか。

「写経」のすゝめ

　外国語の習得と同様に、プログラミングもまずは真似てみることが大事です。いきなり自分のオリジナルのソースコードを書こうと思うと心理的ハードルが上がりますし、変な書きグセのような傾向になったりすることもあります。

　特に、**学習の初期段階では、まずは覚えたての文法や命令を真似して書いてみましょう**。つまりは**写経**です。その際にとても重要なことは、「自分の手で書く」ということです。プログラミングをコンピュータを

使って行う場合、コピペなどで簡単に入力できてしまいますが、そこはあえて、**一言一句理解しながら噛みしめるようにタイピングして書いていくことが大事**です。

　そういう意味では、必ずしもパソコン上で書かなくても、手書きで紙に書いてみるというのもありです。実際、**アンプラグドプログラミング**[※]という、パソコンやタブレットなどを使わずにプログラミング学習する手法もあります。

▍プログラミングを「習う」

　現在、世の中には、プログラミング書籍や学習サイトなどが多くあります。本書を読んだうえで、実際のプログラミングを書きながら学ぶためには、そういったもので自学自習するのはもちろん理想的ですが、効率的な学習やモチベーションの維持のために、学習パッケージとして提供している教材を活用するのも1つのやり方です。

　代表的なのは、プログラミング教室に通う、というのが有力ですね。また、オンライン環境でもできるのが、プログラミング学習サイトです。

　例えば、オンライン学習プラットフォームの Udemy では、現在最もメジャーなプログラミング言語である Python の学習プログラム（有料）が提供されています。

　他にも、無料のものも含めてたくさんあるので、ご自身の学習スタイルに合うものを調べてみるとよいでしょう。

※「小学校段階におけるプログラミング教育の在り方について」
https://www.mext.go.jp/b_menu/shingi/chukyo/chukyo3/053/siryo/__icsFiles/af
ieldfile/2016/07/08/1373901_12.pdf

Udemy

 https://www.udemy.com/ja/

プログラムを他人に「デモる」

　ある程度自分で作ったプログラムは、誰かに見てもらうと効果的です。これは必ずしも、「自分のプログラムが正しいか」あるいは「もっとよくなるにはどうすればいいのか」といった、教育的な側面だけの話ではありません。

　第三者に公開するということで、自分自身への戒めにもなります。自分だけで学習していると仕事が忙しいなどといった理由でついついスケジュールを先延ばししてしまうことは、多くの人が体験しているはずです。**「ここまで作ったら、あの人にちょっと見てもらおう」といったマイルストーンを立てるとよいでしょう。**

　では誰に見せるかですが、プログラムそのものの添削の場合は専門家にきちんと修正点やよい点などを指摘してもらうことが大切です。しかし、プログラミング学習のモチベーションを維持するためのコツとしては、「ノリのいい」人に見てもらうのもよいでしょう。ここでいうノリのいい人とは、ネガティブな意見を言わずに何でも面白がる知的好奇心

の旺盛な人などを指します。要は、承認欲求を満たしてくれてポジティブな気持ちになることが大切なので、**専門家でなくても構わず、プログラムの中身ではなくその動作や仕組みを話したりすればいいのです。**

　また、もし同じようにプログラミング学習しているモノ同士だったら、お互いに教えあうこともできます。よい意味で競争心と協力心が働く相手、ぜひ一緒に学びあう仲間を見つけてみてください。このような他人と一緒にモノづくりをすることに慣れてくれば、それが趣旨のイベント (「アイデアソン」や「ハッカソン」など) に参加するという手もあります。また、教えを乞うというスタンスを主としたい場合は、もちろん、プログラミング教室に通うという手段もあります。

　いずれにしても、自分で作ったプログラムは、未完成の試作でもよいので他人に「デモる」とともに、意見交換することで、学習を促しモチベーションを向上させることができますので、オススメです。

どのプログラミング言語を習得するべきか？

　先ほど述べたように、プログラムは「言語」です。自然言語と同様に、プログラミング言語も多種多様で、その総数は現在 200 種類以上と言われます。そうなると、「初心者がどの言語を学ぶべきか？」という疑問が湧いてくるかと思います。

　まず、実際の開発現場で専門的にプログラム開発をしている専門職＝プログラマーの話をすると、こちらも自然言語と同様に考えることができます。自然言語は国や地域ごとに異なりますが、英語などは共通語として多く使用されています。対比的に、プログラミングの世界でも、商品や業種、会社ごとにそれぞれですが、多くの開発現場でよく使われてる言語は確かに存在します。

　例えば、第 1 章で紹介した Python をはじめ、C 言語、Java などです。ですので、どの言語で学ぶか迷っている方は、これらの**多くの開発現場で使われている言語**から着手するとよいでしょう。

　その理由としては、やはりこれらの言語は使用頻度も多いこともあって、参考書や参考サイトなどの情報も多く、それを学ぶイベントや教室も充実しているからです。

　また、ある程度1つの言語を習得すると、別の言語の習得が比較的楽になることが多いです。いわゆる自然言語でいうところの第二外国語の習得がしやすくなる現象と同様と言えます。

　Python は比較的習得しやすい言語として知られています。さらに、AI やデータ分析などのビジネスシーンでの利用ケースも多くあります。まずは、**Python でプログラミングの基礎を身につけていくのをオススメします。**

Column

プログラミング学習に役立つツールやサイト

　以下は、インターネット上で様々なプログラミングの作成と実行ができるサイトになります（いずれもフリー利用可能です）。実際のプログラミングは、それ専用の開発環境の構築など必要ですが、これらのサイトでは手軽にプログラミングの体験ができるので、ぜひ覗いてみてください。

ideone.com

 https://ideone.com/

tutorialspoint

 https://www.tutorialspoint.com/index.htm

Wandbox

 https://wandbox.org/

プログラミングをどう学ぶか

この章では、プログラムの学び方について見てきました。プログラムを学ぶ意味や、ビジネスで活かすためのポイントなどを解説しています。特に、アルゴリズムの考え方は重要なポイントとして、しっかりと理解しておきましょう。

以下に、第2章について、まとめてみます。

- 「プログラミングは自分とは別世界のもの」と構える必要はない。むしろ、普段のビジネスライフの中に知らず知らずに内に組み込まれた営みである。

- 暮らしやビジネスの中の手順を「アルゴリズム」として考える。アルゴリズム＝論理的思考力の一種。

- 「何のために」プログラムを活用するのかという目的意識を明確にすることが、ビジネス活用としては大事な視点。

- デジタルリテラシー向上のみならず、就職や転職、キャリア形成にも寄与する。

- 最先端技術を道具として使うスキルも、プログラミングスキルとして必要となるので、それらをキャッチアップしていくことも大事。

- 学び方は、「真似をする」「教えを乞う」「共有する」というスタンスが重要になる。

ここまでの内容は、プログラミングをするための心構え的な内容でした。

次章からは、コンピュータの仕組みやソースコードの書き方など、もう少し技術的な話に入っていきたいと思います。

CHAPTER

3

仕組みを理解する

SECTION 01 コンピュータ（＝道具）の起源

　本章では、コンピュータの仕組みについて紹介していきたいと思います。本書においては、コンピュータ＝（人間が使う）道具という位置づけです。ただし、これまでの歴史上の道具との最大の違いは、**人と「協働」するパートナーである**ということです。では、その道具はどのように発明されてきたのでしょうか。

　いくつかの例を通して、少し考えてみましょう。

道具の進化

まずは、以下の動画をご覧ください。

https://digitalcast.jp/v/25217/

　いかがでしょうか？これは「音楽がもたらしたコンピューターの発明」と題されたもので、コンピュータの起源と発展要因についての興味深い示唆を含んでいます。

　この動画のような、道具の進化の在り方に関わる興味深いことをいくつか取り上げてみましょう。

　一番のキーコンセプトとなってるのは、発明は必ずしも「必要は発明の母」とは限らないですよ、という主張です。

　ここでは音楽インタフェース＝楽器の１つである笛を例に取り、笛を吹くという遊びを通して、タイプライター、コンピュータのキーボードに進化した模様が表現されています。

　キーボードの進化については他にも諸説がありますが、重要なのは何

か明確な目的を強く持って新しいことを生み出すことだけでなく、それを使って遊んでいたらいいものができた、ということもあるということです。

音楽がもたらしたコンピュータの発明

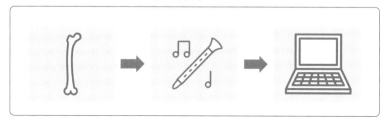

　遊び心というのはその意味で偶発的ではありますが、道具の進化を起こすための必要条件であることは確かで、大概この遊び心がフックになっています。また、遊び心＝音楽（演奏）＝芸術としているのも、興味深いところです。

様々な道具の進化形態

　続いて、こちらの動画もご覧ください。

https://www.youtube.com/watch?v=avjdKTqiVvQ

　先ほどと比べて、いかがでしょうか。これは、映画「2001年宇宙の旅」の1シーンです

　「2001年宇宙の旅」は、SF映画の金字塔と言われる不朽の名作です。特に動画にある猿が骨を投げ上げるシーンは大変有名で、おそらく見たこともある人も多いと思います。余談ですがパロディなども多数存在するくらいです。

　「2001年宇宙の旅」では、動物の骨から偶然武器としての有用性を「発

見」した人類が描かれています。そして、その武器を使って闘争＝戦争に勝利し、その武器が宇宙船という自律型 AI を搭載した宇宙船に進化した、という描写です。

2001 年宇宙の旅：武器→宇宙船の道具進化論

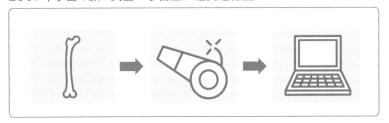

　武器というある種の「必要は発明の母」発露の道具進化論は、この映画の主題以外でも世間では有名です。

　ここでは実際のコンピュータの誕生の発端が何だったのかといった真実の探求が重要なのではなく、**新しい物事を起こすには様々なやり方があるということです。**特に映画などフィクションの世界の表現は参考になることも多々ありますが、反面、面白いがゆえにその構想に引っ張られてミスリードする懸念もあります。ときには遊び心だったり、ときには利便性をひらすら追及することも大事な局面もあります。

アナログとデジタル

　それでは、具体的にコンピュータの仕組みについて、見ていきましょう。

　とは言っても、何もコンピュータの技術的な仕組みについて全てを知る必要はありません。本書の目的は、あくまで、**コンピュータを道具として扱っていくためのプログラミングの知識やスキルを身につける**ことですので、大半はブラックボックスで問題ありません。ですが、まったく中身を知らないと逆に怖く感じるのが人情なので、ここでは必要最小限の知識について紹介していきたいと思います。

　そのためにまず知っていただきたいのが、「アナログ」と「デジタル」についてです。

▍デジタル情報としてのコンピュータ

　それでは、**アナログ**と**デジタル**について、少し詳しく見ていきましょう。

　まずアナログの例としては、レコードが挙げられます。その特徴は、**情報が連続的に変化する**ことです。

　レコードで音楽が聴ける仕組みはご存じでしょうか？

　平たく言うと、連続的に変化する円盤状の物理的な凹凸情報を音に変換する装置です。構造上、当然ゴミの付着や劣化などで音が変化してしまいます。それを「温かみのある音」と表現することもあります。

　レコード登場以前の音楽は、その場限り＝ライブ演奏しかありませんでしたが、記録ができるようになることで時間差で音楽を聴くのが可能になり、音楽鑑賞や音楽家の仕事の在り方に大きく変化をもたらしました。

　対して、デジタルの例は、CD になります。こちらは、円盤状にある**ナノレベルの離散的なデータを音に変換する装置**です。少々物理的に傷がついたくらいでは、音は劣化しません。そういう意味では、非常に正確な技術です。扱えるデータ容量もレコードより多く、音楽性にも変化をもたらしました。

　この**連続的**と**離散的**の違いは、次の図に示すように時計の例がわかりやすいかと思います。

アナログとデジタル

　レコードの仕組みに限らず、我々人間はアナログな世界で基本的に活動しています。ただし、現在の XR（クロスリアリティ）技術が発展していけばそのうちデジタルの世界とも自由に行き来できるようになるかもしれませんが、少なくとも現在は基本的にはフィジカルなアナログ世界がメインと言えます。

アナログ情報をデジタルに変換

　コンピュータはデジタル世界の「住人」なので、それを活用するには、**人間の持つアナログ情報を、コンピュータのデジタル情報に「翻訳」する技術**が必要になります。

　音声情報を例に、それをまとめたのが次の図に示した「デジタル化のプロセス」になります。

デジタル化のプロセス

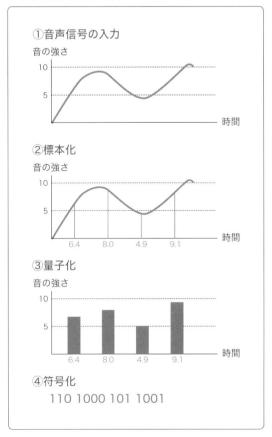

①音声信号の入力
音の強さ
10
5
時間

②標本化
音の強さ
10
5
6.4　8.0　4.9　9.1
時間

③量子化
音の強さ
10
5
6.4　8.0　4.9　9.1
時間

④符号化
110 1000 101 1001

　先ほど、デジタル情報は離散的だと言いました。ですので、まずは連続的な情報であるアナログ情報を分割し、離散化する必要があります。このような技術を**標本化**（サンプリング）と言います。

　コンピュータの離散的なデジタル情報は、厳密には「0」と「1」で表現されます。文字も図形も映像も全て「0」と「1」の世界です。ですので、先ほど分割して標本化した情報を、さらに 0 か 1 に変換する作業が必要です。これを**符号化**と言います。読者の皆さんの中では、学校などで 2 進数を習った人も多いかと思いますが、ここでは数学的な説明の詳細

は省きますが、実はこれは符号化のことなのです。

　以上が、アナログ情報からデジタル情報への変換技術の概要ですが、当然逆もしかりで、デジタル情報からアナログ情報への変換も、先ほどと逆の手順を踏むことになります。

　上記では音声情報を例に取り上げましたが、他の様々な情報についても同様の原理で説明可能です。

　例えば、画像情報が挙げられます。パソコンやテレビにおける画質を示すものとして、**解像度**（dpi）がよく使われます。解像度は、単位面積当たりのドット（四角い色表現）の数なので、これが多いほど、より高画質となります。そして、ドットの色表現は「RGB」表色系、つまり、R（赤）・G（緑）・B（青）の三原色の組み合わせで示し、それらは2進数の0と1の数値で表現可能です。

解像度が高いほど情報量は多くなる

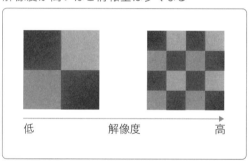

　また、動画＝静止画の連続表示というのが基本的な原理なので、先ほどの画像を時々刻々と切り替えれば映像情報になります。実際はパラパラ漫画の高速バージョンなのですが、動いているように見える＝錯覚しているわけです。

　いずれにしても、コンピュータでの表現は、実際は全てデジタル情報である「0」と「1」の世界で構築されています。

SECTION 03 コンピュータの構成原理

コンピュータの仕組みを考えるうえで大事なのが、コンピュータの構成原理です。

コンピュータは、次の図に示すように、その構成は大きく2つに分かれ、**ハードウェア**と**ソフトウェア**で構成されています。

ハードウェアとソフトウェア

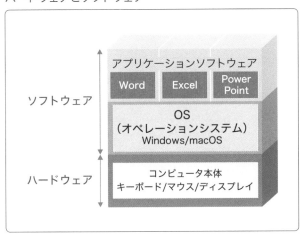

ハードウェアは、キーボードやディスプレイといった物理的なメディアであるコンピュータ本体になります。人間で言うところの身体に当たります。対して、ソフトウェアは人間で言う頭脳に当たり、OS（Windowsや macOS など）やアプリケーションソフトウェア（Word や Excel など）で構成されています。

コンピュータを構成する装置

ハードウェアについて、もう少し詳しく説明していきます。

我々が普段使ってコンピュータは、次の図に示すように、**5つの装置（入力装置、制御装置、記憶装置、演算装置、出力装置）で構成され、これらは5大装置と言われます。** 実はこの構造、人間の脳のシステムにそっくりなのです。それもそのはず、人間の脳の仕組みを参考にしていると言われているからです。

コンピュータの5大装置

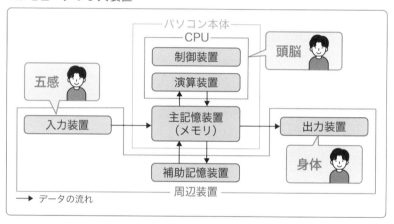

それぞれの装置をざっと見ていきましょう。

➲ 入力装置

まずは、**入力装置**です。人間がパソコンへデータや指示を入力するための装置ですね。例えば、キーボード、マウス、イメージスキャナ、タッチパネル、スマートスピーカーなどがそれです。

➲ 出力装置

続いて**出力装置**です。パソコン処理結果を人間へ伝えるための装置になります。例としては、ディスプレイ、プリンタなどです。

➔ 記憶装置

　次は記憶装置です。データ、プログラム、処理結果などを記憶する装置になります。記憶装置は2種類あって、高速な半導体メモリの**主記憶装置（メインメモリ）**と、**補助記憶装置**です。

　補助記憶装置は**ストレージ**とも呼ばれ、磁気デバイスのHDD（Hard Disk Drive）が以前は主でしたが、最近は電気的に情報を記憶するSSD（Solid State Drive）が主流です。CD、BD、DVDは現在でも売っています。フロッピーディスクなどは今はもう使われませんが、デジタルゲームなどでも昔は使われていました。USBメモリはよく使われています。SDカードやコンパクトフラッシュカードなどもスマートフォンやデジタルカメラなどで使われています。

　主記憶装置（メインメモリ）は、補助記憶装置内に記録された情報を一時的に蓄えるために使われます。例えばプログラムを実行する際には、補助記憶装置内にある情報が主記憶装置に読み込まれ、演算装置（CPU）は主記憶装置内にある情報を利用して様々な演算を行います。

　主記憶装置は、補助記憶装置よりも高速に情報の読み書きを行う必要があります。主記憶装置（メインメモリ）の性能や容量（サイズ）は、パソコンのスペックを表現するものの1つです。

メインメモリの役割

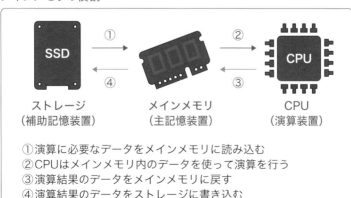

①演算に必要なデータをメインメモリに読み込む
②CPUはメインメモリ内のデータを使って演算を行う
③演算結果のデータをメインメモリに戻す
④演算結果のデータをストレージに書き込む

コンピュータの構成原理

➜ 演算装置

演算装置は、CPU 内にあって、プログラムの命令に従って四則演算、論理演算、比較演算などを行います。プログラミング経験者はこのあたりの演算をよく利用すると思います。

CPU (Central Processing Unit) はパソコンのスペックとして重要で、動作クロックが性能として表現されます。複数の CPU を組み合わせると、マルチコアと言ったりします。CG デザインなどのグラフィック系の描画能力アップには、GPU (Graphical Processing Unit) が力強いです。

➜ 制御装置

制御装置は、CPU 内にあって、プログラムの実行をコントロールする装置です。先の演算装置との違いは、入力装置、出力装置、記憶装置、演算装置へ指示を出す役割を果たします。

➜ インタフェース

5 大装置の他にも知っておくべきものに、インタフェースがあります。

インタフェースは、コンピュータを外部機器やネットワークと接続するために使います。よく使われるのものとして USB ポートがあります。USB には「A」「B」「C」などのタイプ(種類)があります。

Bluetooth(ブルートゥース) は近距離無線規格で、無線キーボードやイヤフォンの接続などに使われています。電子工作で通信する仕組みを作るときなどでもよく使います。HDMI (High-Definition Multimedia Interface) はモニターやプロジェクター接続でお馴染みです。

OS とアプリケーションソフトウェア

　続いてソフトウェアですが、**OS**（オペレーティングシステム）と、**アプリケーションソフトウェア**に分かれています。

　OS は、**コンピュータのシステム全般を管理**するためのソフトウェアで、パソコンやスマートフォンなどには必ず入っています。OS の中核的な機能を担う部分を**カーネル**と呼びます。その他に様々な処理を行うための機能が組み込まれています。

　OS にも様々な種類があり、パソコン用のものとして Windows、macOS、Linux などがあり、スマートフォン用には iOS、Android などがあります。

　アプリケーションソフトウェアは、**OS にインストールして使用するソフトウェア**で、Word や Excel などがその代表です。

　OS とハードウェアの間を橋渡しして制御するするための**デバイスドライバ**と呼ばれるソフトウェアもあります。こちらは、皆さんが普段使っているパソコンの OS のアップデートの際にお馴染みです。

OS のイメージ

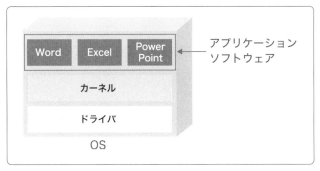

　OS やデバイスドライバの作成には、高度な知識と技術が必要になります。本書の読者であるビジネスパーソンが作成することはまずないでしょう。ビジネスパーソンが作成するのは、アプリケーションソフトウェアやサービスの機能を利用するためのプログラムが主になるでしょう。

Web アプリケーション

アプリケーションは、Web ブラウザーを通じて利用できるものもあります。**Web アプリケーション**などと呼ばれるものです。

代表的な例としては、メールソフトがあります。例えば **Gmail** は、専用のアプリケーションをインストールすれば（インターネット常時接続しなくてもよい）ローカル環境でも使用できますが、Web ブラウザーから所定の URL にアクセスすれば、インストールなしで使用することができます。

Gmail

 https://www.google.co.jp/mail/help/intl/ja/about.html?vm=r

コンピュータのアーキテクチャ

　コンピュータは登場以来、進化し続けています。時代が進むごとに**設計思想（アーキテクチャ）**や利用方法も変わっています。コンピュータへの理解を深めるために、その歴史をたどってみましょう。

コンピュータの理論モデル

　コンピュータの**理論モデル**を考案した歴史上の主要人物の一人は、アラン・チューリング（Alan Turing）氏です。

　その理論モデルは、彼の名前を取って「チューリングマシン」と名付けられました。開発背景としては、第二次世界大戦時中の敵国の無線暗号解読のための機械システムがあり、かなり大掛かりな仕組みだったようです。このあたりのくだりは、「イミテーション・ゲーム」※という彼の自伝的な映画で描写されていますので、興味ある人はご覧になってみてください。

　このチューリングという人物は、数学や技術、哲学など広範囲に活躍した天才でした。キャリアのベースは数学者ですが、人間とコンピュータとの関係性を考察するなど、社会的実装につながる業績を残したと言えるでしょう。

　この理論モデルをベースにした最初のコンピュータの技術方式が、ENIACというコンピュータです。大きな部屋一杯を占有するような大規模なもので、使用する電力量も大変なものだったらしく、施設周囲一帯が停電するかもしれないと関係者たちは心配したようです。

　開発者の主要人物は、ジョン・フォン・ノイマン（John von Neumann）

※ 映画「イミテーション・ゲーム」
http://imitationgame.gaga.ne.jp/

氏という数学者で、このノイマンもかなりの天才ぶりを年少の頃から発揮していたようで、数学的能力だけでなく、聖書を丸暗記したりと抜群の記憶力を備えていたようです。ただ、音楽など芸術方面の才能には恵まれていなかった、と言われています。

　この**ノイマン型コンピュータ**の基本的な方式は今日でも踏襲されていて、皆さんが普段使っているパソコンやスマートフォン、家電製品などもそうです。そしてその基本的なシステム構成は、人間の脳の仕組みに近いとされ、昨今のAIやビックデータ分野などでさらなるコンピュータのパラダイムシフトを起こすには、ノイマン型コンピュータでは限界があると指摘されることもあります。

┃コンピュータの高性能化と小型化

　そんな大掛かりな機械システムとして誕生したコンピュータですが、今日では容量も計算能力も当時をはるかに凌ぐものとなっています。反面、そのサイズはどんどんと小さくなり、**マイクロコンピュータ**と呼ばれる小型のコンピュータや、**ワンチップマイコン**などと呼ばれる極小の装置も登場しました。

ワンチップマイコン

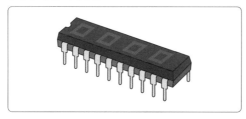

　「ムーアの法則」という概念を、米インテル社の創業者の一人であるゴードン・ムーア（Gordon E. Moore）氏が1965年に論文として発表しました。これは、簡単に言うと、「単位集積回路内の半導体数は18か月（＝1.5年）ごとに倍になる」というものです。言い換えると、半導体

が年々小さくなる＝コンピュータが年々小さくなる＝コンピュータのコストが年々低くなる、ということです。いつかはコンピュータが消える日がくるのでは？などと言われた時期もありましたが、現在ではネットワーク上もデータベースエリアであり演算エリアなので、そう単純ではないと思われます。

コンピュータのプログラムを扱う仕事の観点から大事なのは、**昔と比べてよりコストが低く、計算能力が高いコンピュータを扱いやすくなるので、それだけサービスを実現するための敷居が下がった**、ということです。そして今後その傾向はさらに強まると考えられています。

汎用コンピュータの登場

コンピュータは当初、専門家のためのツールであり、**メインフレーム**などと呼ばれていた時期もありました。主に基幹業務用で、企業、官公庁、銀行などで活躍していました。

メインフレーム

そして、**パーソナルコンピュータ**が誕生します。この時代になってようやくパーソナル（Personal）＝一般個人用のツールとしてのコンピュータになるわけです。現在はノートパソコンが主流かと思いますが、デスクトップ型しかない時代もありました。

ノートパソコンとデスクトップパソコン

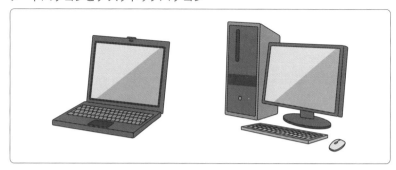

　パーソナルコンピュータは一般ユーザー向けのものですが、**スーパー
コンピュータ**は超大容量かつ高度な科学技術計算を行うため専用のコン
ピュータになります。富士通と理化学研究所が共同で開発した富岳（ふがく）など
が有名です。

　対象分野は、原子力開発、気象観測、航空機設計、遺伝子分析など多
岐にわたりますが、いずれも膨大なデータを扱う処理に向いています。
近年のビックデータを扱う AI とも相性がよく、今後も活躍していくこ
とでしょう。

スーパーコンピュータ「富岳」

 https://www.fujitsu.com/jp/about/resources/publications/technicalreview/2020-03/

　家庭用ゲーム機も、現在最も高水準なコンピュータの1つです。エンタテインメント面での秀逸さも目立ちますが、電子計算機としての優秀さも忘れてはいけません。

　PS5（PlayStation5）※をはじめとした最新機種の描画技術は、現在世界最高峰の1つと言えますが、注目に値するのはその技術進化のスピードです。四半世紀前にファミリーコンピュータ（通称：ファミコン）という、言ってみれば「玩具」にすぎなかったプロダクトが、いまやれっきとしたコンシューマー製品として成立していることは科学史的に驚嘆に値します。

クラウドコンピューティングの時代

　インターネット誕生期である1990年代初頭までは、少なくともパソコンを使っていた一般ユーザーにとって、コンピュータというのは、それだけで完結したメディアでありコンテンツでした。つまり機能は全てハードウェア筐体に内蔵されており、文書作成やゲームといったコンテンツは、対応する特定のメディア（パソコンあるいはゲーム機）などから利用するしかなかったわけです。

　ところがインターネット接続による仮想上のコンピュータへのアクセス＝**クラウドコンピューティング**によって、パソコンやスマートフォン、ゲーム機など、どのメディアからでも共通のコンテンツを利用できるようになります。無線通信可能な仕組みの普及も相まって、コンピュータの開発と使用の概念は大きく変わりました。

　また、一般人のコンピュータ利活用という点でも、スマートフォンやタブレット、スマートウォッチなどの多種多様な携帯情報端末の浸透は、インターネットの利活用促進に大きく貢献しました。そして、これ

※ PS5
https://www.playstation.com/ja-jp/ps5/

らのメディアが普及したことにより、さらに多くのコンテンツが誕生し、そのことでそれらメディアの汎用性や専用化を促進する、という好循環が生まれたのです。

クラウドコンピューティングであらゆるものがつながる

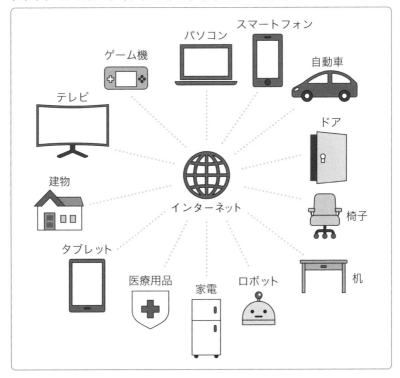

未来のコンピュータ

　現代のノイマン型コンピュータを超える次世代型コンピュータとして期待されいてるのが**量子コンピュータ**です。スーパーコンピュータをも凌ぐ演算能力を持ち、今後のビックデータや AI 技術を扱う計算機として活躍すると考えられます。

　IBM 社は、日本国内でも量子コンピュータの商用サービスを開始しています。

IBM Quantum Computing

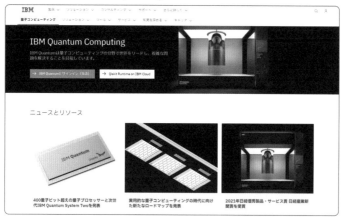

https://www.ibm.com/jp-ja/quantum-computing

　生体の脳や神経回路網の働きを取り入れた、**バイオコンピュータ**の研究も進んでいます。

理化学研究所 生命機能科学研究センター

 https://www.bdr.riken.jp/ja/index.html

05 コンピュータとインターネット

インターネットによるコンピュータへの技術的・社会的影響について
ご紹介したいと思います。コンピュータ（とりわけパソコン）が注目さ
れるようになったのは、**インターネット**の急速な普及があったからに他な
りません。いまや、コンピュータについて理解するうえで、インター
ネットは分けて考えることはできない技術となっています。

ここでは、インターネットの基礎知識などについて学んでいきましょ
う。

インターネットの誕生と発展

インターネットがそれまでの人類の技術と大きく違うのは、世界規模
のコミュニケーションのための相互接続である点です。

その接続技術は、**プロトコル**というコンピュータ間の相互の約束事で
取り決められています。実はインターネットが一般的に普及する前には
「ARPANET」※と呼ばれるインターネットの前身のようなものがありま
した。大学機関などを中心に運用されており、専門家によるかなり高度
な技術でした。

後に一般にインターネットが普及してくると、当然のごとく回線が混
雑するため、それのための解決案が迫られました。それが、**パケット交
換方式**です。これは通信データを分割して送信することで回線の混戦を
防ぎます。

また、**IP**（Internet Protocol）は、情報を通信相手に伝達する技術で、
IPアドレスは、インターネット上でコンピュータを識別するための番号

※ ARPANET
https://www.nic.ad.jp/ja/newsletter/No66/0320.html

です。以前までは「IPv4」（アドレス 32 ビット）で事足りていましたが、世界的なインターネット人口の増加により、「IPv6」（アドレス 128 ビット）へ移行しつつあります。

インターネットへの接続方法

インターネットに接続するための技術ですが、こちらは皆さん日常生活で使って慣れ親しんでいる人も多いと思います。

プロバイダ（ISP：Internet Service Provider）は、通信回線＋ IP アドレスの割り当てを行うためのもので、家庭などでインターネットを利用する際には必ずプロバイダ契約しますよね。**LAN**（Local Area Network）は、狭い範囲内でのネットワーク通信を行うための技術で、企業内などで皆さんお馴染みかと思います。**ルーター**は、インターネット通信を行うための中継機器です。

ルーターを経由してインターネットに接続する

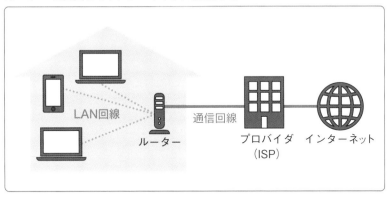

現代の日本では、**Wi-Fi** による**無線 LAN** が普及しています。無線 LAN は、パソコンとインターネットを接続するだけでなく、パソコン同士の接続にも利用されます。その方法は 2 種類あります。

1 つ目は、**アドホックモード**で、無線 LAN アダプタを装着したパソコン同士を接続するためのものです。2 つ目は、**インフラストラクチャーモー**

ドと呼ばれ、中継点の役割を果たすアクセスポイントを経由して接続します。

無線 LAN の接続方法

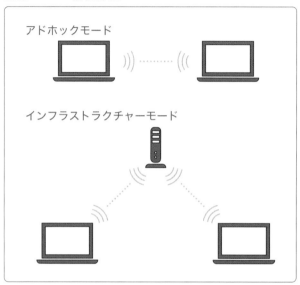

　高速かつ大容量のデータ通信を可能にするために、様々なブロードバンドネットワークがあります。

　例えば、**FTTH**（Fiber To The Home）は、光ファイバを利用することで数百 Mbps ～ 1Gbps くらいの通信を可能にします。**CATV** は、有線のテレビ放送ですが、この回線を利用したインターネット接続サービスも多く見られます。

モバイル通信の発展

　いまやインターネットは、スマートフォンやタブレットなど、モバイル端末で通信することが多くなりました。ノートパソコンがなくても、スマートフォン 1 台でどうにかなってしまう便利な世の中ですが、これも、日進月歩の無線通信技術開発の賜物です。

→ 通信技術の進化

少し携帯電話の変遷を見ていきましょう。

まず第1世代のアナログ方式の無線通信から、第2世代のデジタル方式（PDCなど）になり、現代の通信技術の基本的なシステム構成が確立しました。そして、高速なデータ通信である第3世代が始まります。インターネットの利用人口の急速な増加にともない、さらなる高速化である第4世代に突入することで、超高速データ通信（数Mbps～数百Mbps）が可能になりました。

そして、**第5世代移動通信システム（5G）**[※]も実用化されています。こちらは様々な進化が挙げられますが、まずはさらなる通信速度の高速化（1Gbps以上）、そして他の技術体系との連携も期待されます。仮想現実、自動運転、IoTなど、今後の技術革新が期待される分野との連携により、我々人類の社会生活も大きく変わってくると思われます。

また、センサーメディアなどへの適用も忘れてはいけません。センサー内部に当該技術を埋め込み、サイバーフィジカル（IoT）世界の浸透に大きく貢献していくと考えられます。

→ モバイル通信のための技術

VoLTE（Voice over LTE）は、音声データをデジタル化して通信を行う技術です。高速かつ高品質の完成通話を可能にします。

SIMカード（Subscriber Identity Module Card）は、小型のICカードで、皆さんのスマートフォンにも内蔵されていますよね。

公衆無線LANはいくつか種類があり、**IEEE802.11a/b/g/n/ac/ad**などがそれです。無線LANの設定を行ったことがあれば知っていると思います。

※ 5G（NTT docomo）
https://www.docomo.ne.jp/area/5g/

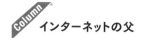

インターネットの父

まずは、以下の動画をご覧ください。

https://www.youtube.com/watch?v=lnlhB7VF_3M

これは、慶應義塾大学湘南藤沢キャンパス（SFC）のイベント講演のものですが、その内容はこれから向かうインターネット社会について極めて一般性の高いものになっています。

講演者の「村井　純」先生は、日本における「インターネットの父」と呼ばれており、その名の通り日本でのインターネット普及のきっかけを作った人物です。この講演で村井先生は、「インターネット社会＝世界が1つになる」ということを仰っています。注意が必要なのは、インターネット社会＝情報通信が「速い」社会とは仰られてはいない点です。

本書では、通信速度が速くなることがインターネットの技術的な進化であると言いました。しかしその本質は、速くなることではなく、みんなとつながり、誰でも「自由」が得られることにあります。速さだけを追い求めてしまうと、いまでさえ SNS 疲れなどといった問題があるのに、サイバーフィジカルな社会ではなおさらです。5G 技術も単に通信速度の課題だけでなく、このあたりの観点が大事であるわけです。

IoT ＝いつでもどこでもインターネット

インターネットサービスを語るうえで、IoT（Internet of Things、モノのインターネット）の話題は切っても切り離せません。ここでは、IoT サービスの学術的・産業的実例を紹介したいと思います。

もともと世の中のシステムにおいては、インターネット接続できるものは限られていました。サーバーなど、いわゆる専門家のための専用機が特定の目的のためにネット接続を利用していたわけです。それが大き

く変わったのは、1990年代以降、一気に一般の人々に対して汎用パソコンが普及したことにあります。

　その当初はデスクトップパソコンによる有線接続が主でしたので、利用シーンは仕事部屋などの屋内に限られていました。しかし、ハードウェアや無線通信技術の進歩により、コンピュータの利活用概念は大きく変わり、利用シーンも屋内に限定されなくなりました。利用する端末もスマートフォンやタブレットなどにとどまらず、家電やゲーム機、自動車、ロボットなどにも広がっています。

コンピュータの利用シーンの移り変わり

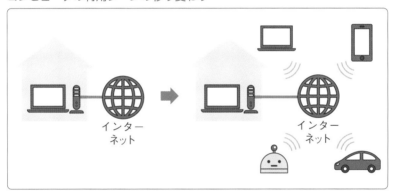

　そして今後の Society 5.0 に向けて VR や AR、MR などが浸透していけば、物理環境（リアル）のみならずに仮想環境（バーチャル）と行き来することも可能になっていくでしょう。ネット接続メディアも現在のデジタル機器のみならず、服、時計、椅子、机、ヘッドライト、食器、住宅などのあらゆるものへと広がっていくことになります。

　このように、真の IoT 社会とは、メディアやコンテンツと世界が1対1で接続されるというよりも、**1対N、N対Nで絡み合い、あたかもコンテンツやメディアがネットに「溶け込んでいく」技術体系が進んでい**くことになります。そうなってくると、IoT をどのように活用するかといったニーズも増えてくることになり、プログラミングの仕事にも大い

に巻き込まれていくことになります。

　ところで、現代においては、技術的には既にこのようなシステム環境を構築することは可能です。しかし、その社会的応用という観点では、セキュリティや情報秘匿性の担保（個人情報など）の懸念があります。ですので、これらの問題が解決されれば（もう既に解決されつつありますが）、一気にそのような社会が広がっていくことは十分に考えられます。

➔ ネットワークロボット

　ネットワークとプロダクトが有機的に絡み合うシステム構想については、昔から学術的にはいろいろありまして、その1例を紹介します。

　ネットワークロボットという構想は、読んで字のごとくネットワークに接続されたロボットサービスです。いまでは社会的にも当たり前の話ですが、2009年に策定されたこのプロジェクト※は、ICT技術（情報通信技術）の社会的応用をロボットを活用して目論むものでした。

　そのシステム構成は、次図のようなネットワークを通じて、3タイプのロボットが連携するというものです。

ネットワークロボット

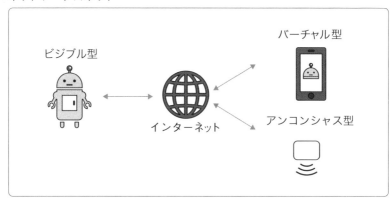

※ 総務省「ICT重点技術の研究開発プロジェクト」(2009)
http://www.soumu.go.jp/menu_seisaku/ictseisaku/ictR-D/

　1つ目は、**ビジブル型**と呼称されるロボットタイプで、例としてはAIBO[※]やPepper[※]のようなリアルな物理的ロボットですね。現実世界で活躍する前提で、（人間的あるいは動物的な）身体があり、情報提供、ガイドなどを行います。利用文脈としては、商店街で迷っている観光客を対面で案内するシーンなどが考えられます。

　2つ目は、**バーチャル型**のロボットタイプです。仮想世界で身体を持ち、情報収集、手続き代行などを担います。現代的には、スマホのエージェントなどのキャラがそれに近しいと言えます。利用文脈としては、商店街の案内先の店舗でオススメ商品を提示するなどがあります。

　3つ目は、**アンコンシャス型**です。こちらは物理的ならびに仮想的な身体がなく、道路、街、室内、家電、服など環境への埋め込み型になります。現代では、スマートグラスやスマートハウスなど、日常生活に自然に埋め込まれたコンピュータメディアがそれに当たります。利用文脈は、商店街で道に迷ってる人を検出するなどの役割などがあります。

　さて、この3つのタイプが連携するわけですが、先ほど3つの利用文脈をつなげるとそれが1例になります。例えば、「アンコンシャス型」が商店街でうろうろしている観光客をセンシングして、「アンコンシャス型」から連絡を受けた「ビジブル型」が観光客のところへ近寄り、どこへいきたいかを対話しながら聞き出して、そのまま該当するお店へ案内します。案内先につくと今度は観光客が持っているスマートフォン内の「バーチャル型」がその画面上でおすすめ商品を提示し、晴れて観光客はショッピングを楽しめる、というストーリーが想像できます。

※ AIBO
https://aibo.sony.jp/

※ Pepper
https://www.softbank.jp/robot/pepper/

ネットワークロボットの連携

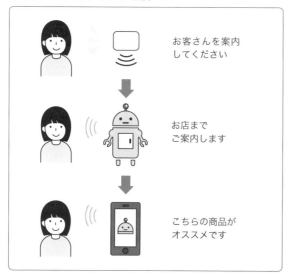

お客さんを案内
してください

お店まで
ご案内します

こちらの商品が
オススメです

　VR や AR、遠隔通信の応用技術や利活用も普及が期待されているので、**ホログラム化した知人友人と一緒のショッピングや、VR ゴーグル越しのバーチャルショップ**など、**時間や空間を超越した様々なサービスが考えられます。**いろいろと想像を巡らせてみてください。

➲ 家電の IoT 化

　続いて、IoT サービスの社会実装例として、既に一定の実績のあるものを産業別に紹介したいと思います。Society 5.0 の話を思い出してほしいのですが、その技術レベルや構想自体は既に多くの先行事例があり、今後はユーザーや他のプロダクトを巻き込み、人類の社会生活への応用がどんどん進んでいくこととなります。

　1 つ目は、家電業界の例です。今でこそ冷蔵庫の IoT 化（温度や格納されている食べ物の状況などをスマートフォンで管理する機能など）や、エアコンの AI との連携機能（温度や湿度、風流調節の管理など）といったものは珍しいものではなくなりました。

冷蔵庫をスマートフォンで管理できる

　IoT 家電というものの知名度は高いのですが、プロダクトとしては据え置き型であること、家電本来の機能として成熟してるいものが多いなどの理由から、まだまだ見過ごされている企業や製品も多くあります。しかしそのポテンシャルは大いに期待されています。

　象印の**みまもりホットライン**は、ユーザーのポットの利用状況をセンシングして、それをメール通知する、というシンプルな機能です。例えば、一人暮らしの自分の母親の家に設置しておき、離れた所に住むその子供が、母親のポットの利用状況をメールで確認できる、ということなどに有用です。

みまもりホットライン

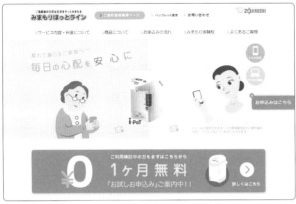

https://www.mimamori.net/

　この機能で優れてい点は、まずその問題意識（文脈）です。独居老人の良く生きることや安否確認などは、社会問題としてかなり以前から取りざたされてきました。それを今から 20 年以上前に着眼し製品化したというのは素晴らしいことです。

　また、センシングの手法もよい例として話の引合いによく出されます。**「いつでもどこでもつながれる＝いつでもどこでも監視されていると感じる」という IoT サービスの命題**を見事にクリアしており、まさに先ほどの例での、独居老人は監視されているように感じることなく子供が独居老人である母親を「見守る」サービスを提供していると言えます。

　皆さんの身近な例では、SNS サービスで同様のことが言えます。このように、より密につながろうとすればするほど、監視されているストレスが増えるというトレードオフを解決する決定打はありませんので、ぜひ読者の皆さんもよりよい方法を考えてみてください。

➲ 工業の IoT 化

　2 つ目は、工業の IoT 化の例です。こちらは**物流ロボット**の代表格とも言える有名な事例があり、その開発製造元はあの Amazon です。

　こちらのロボットたちの機能の肝は、これら**倉庫ロボット**が、人間や他のロボットとも協調連携し、倉庫の出荷を効率的にさばくための包括システムを構築していることにあります。

　実はこの倉庫ロボット、もともとは KivaSystem という独立したロボット会社のものでして、当時から業界内でも大変有名でした。後に Amazon が買収して Amazon Robotics となりました。この本体の Amazon 社ですが、近年ロボットやドローンビジネスへの取り組みが目覚ましく、配達ドローンなどで話題にもなっています。

　物流ロボットは、サービスロボットの中でも産業的には最も現在進行形な分野です。Amazon はネット販売なので、まさに IoT による物流ロボットの真骨頂のビジネススタイルと言えるでしょう。

Amazon Robotics

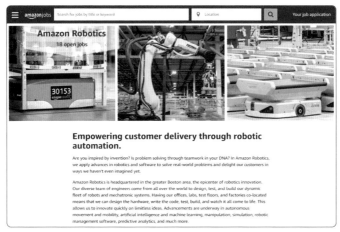

https://amazon.jobs/en/teams/amazon-robotics

　先ほど言ったように、物流ロボットは AI との連携も非常に注目を浴びるポイントで、この Amazon の倉庫ロボットは、ホットな技術領域でもあり、かつ IoT サービスとしても代表格でもあり、効率的な受注＆配達サービスとしても注目されています。

➲ 農業の IoT 化

　3つ目は、農業の IoT 化の例です。**灌水制御システム**という農家のための植物の水やり管理のシステムで、水分や温度などの土壌環境をセンシングし、クラウド経由でスマートフォン表示＆操作で管理できます。

　農業（農家）は日本の歴史ある産業の代表格とも言えるものであり、今後もなくてはならない分野ですが、人手不足や経営法などで切実な問題を抱えている産業でもあります。現在各方面で急速に IoT 技術の導入が進められており、ここで紹介する灌水制御システムのように、もともとは人手（経験則や人力など）で行っていたことに技術を介することで、人的負担やコスト削減による効率化につなげようとしています。

灌水制御システム(愛三電機株式会社)

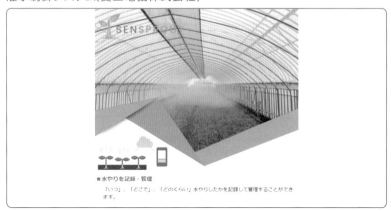

 https://www.aisan.co.jp/products/sensprout.html

農業の IoT 化

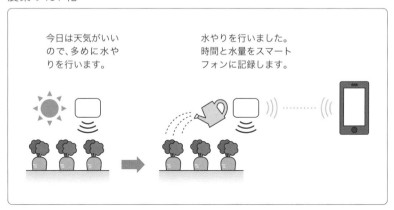

今日は天気がいいので、多めに水やりを行います。

水やりを行いました。時間と水量をスマートフォンに記録します。

　導入する技術は必ずしも高度なものでなくてもよく、まずはこういった技術からスタートして運用するだけでも効果的なサービスとなり得ます。IoT サービスという点では、様々なチャンスが眠っていると言える産業分野です。

IoT サービスのシステム構成

ここでは、IoT サービスを作る側の視点から、システムの構成について解説していきます。

なお、以下の考え方はあくまで IoT サービスの仕組みの理解を深めるための簡易的な概念モデルだということを留意しておいてください。

物理世界と仮想世界のシステム構成

まず物理世界で完結するシステムを例に見ていきましょう。

通常、世の中の現状のシステムは、「**入力→制御→出力**」の流れに沿ってその仕組みを記述することができます。

例えば、電灯スイッチを例に取ってみましょう。電灯を操作するには、まずユーザー側からのスイッチの「入力」操作が必要です。そしてその入力信号により、オンとオフの切り替えの「制御」がなされます。最後に電灯の明かりを点灯あるいは消灯する「出力」が行われます。

システム構成(物理世界)

　続いて、仮想世界(バーチャル)で完結するシステムの例として、Twitter使用時のブラウザー上での検索を取り上げます。

　何か検索を行うときは、画面上で直接操作するという「入力」、然るべき文字列の候補の照合の「制御」、そして画面表示の「出力」という流れになります。

システム構成(仮想世界)

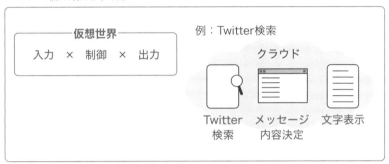

　このように、現実世界であっても仮想世界であっても、**システム構成は「入力→制御→出力」の流れに沿っていることがわかります。** これは、プログラミングを行う際にも、重要な要素となります。

▎システム構成(現実世界＆仮想世界)＝ IoT サービス

　さて、IoT サービスの場合です。

　IoT サービスは先ほどの物理世界と仮想世界をまたぐサイバーフィジカルなシステムなので、それらの間を行き来する流れになり、それぞれの世界に「入力」「制御」「出力」が存在します。前述した MESH※などの IoT デバイスは、言ってみればそれらをつなぐものであると解釈することができます。

※ MESH
https://meshprj.com/jp/

システム構成(IoT サービス)

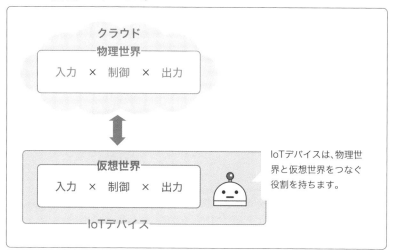

IoTデバイスは、物理世界と仮想世界をつなぐ役割を持ちます。

　では、先ほど取り上げた産業界の IoT サービス(家電、工業、農業)を例に取ってみましょう。

家電の IoT サービスのシステム構成

　まずは、家電の例である「みまもりホットライン」です。

　このシステムの肝は、ポットのお湯の使用を検出できる入力方法です。そのため、この製品の入力は物理世界で行われます。その使用状況をデータに生成する制御が必要になるのですが、こちらはネットを介してサーバー上で管理されるので仮想世界で行われます。そしてそのまま確定した使用状況のメール通知をスマートフォンの画面表示する出力で完了、という流れになります。

「みまもりホットライン」のシステム構成

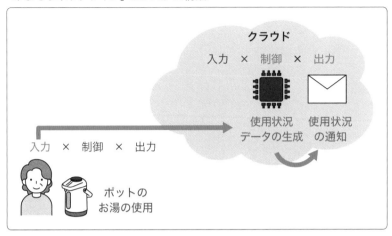

◆ 工業の IoT サービスのシステム構成

　続いて、工業の IoT サービスである「倉庫ロボット」の例です。

　この場合の入力は、サーバー上で管理されている配送倉庫内の配送状況なので、仮想世界で行われます。そして複数のロボットに対して適材適所な配置座標を生成する指令制御が行われます。最後に、各ロボットたちは然るべき場所へ物理的に移動する出力が物理世界で行われます。

「倉庫ロボット」のシステム構成

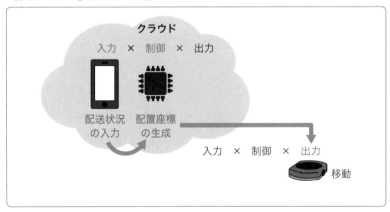

➡ 農業の IoT サービスのシステム構成

最後は農業の IoT 化である「灌水制御システム」の例です。

こちらはシステム構成的な流れは、最初の「みまもりホットライン」に近いですが、出力は物理世界（物理的デバイスによる LED 表示）と仮想世界（スマートフォンに植生状況を GUI 表示）の双方で行われている点が異なります。

このようには、IoT サービスを作るためには、そのシステム構成もリアルとバーチャルで分けて考える必要があります。

「灌水制御システム」のシステム構成

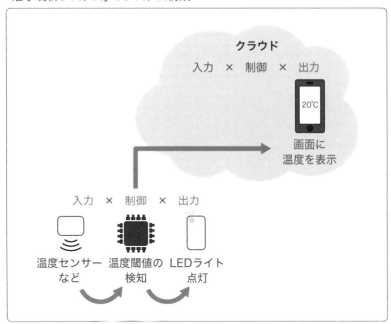

センサー選定（入力）の考え方

　入力の考え方について、もう少し詳しく見ていきましょう。IoT サービスでは、入力の部分で何らかの**センサー**が利用されるケースが多くあります。

　まず注意が必要なことは、いきなりセンサーの選定することに着目しないということです。もちろん完成品を開発するときや使用できるセンサーが限定される場合はこの限りではありませんが、ここでは IoT サービスのプロトタイピングの観点から言及しています。

　ではどうするかと言うと、**そのシステムがユーザーのどういう行動を「①きっかけ」にセンシングするのか、さらにそのときの「②システムの状態」を考えます。そして最後にようやく「③センサー選定」を行うという 3 段階を踏むのです。**

　それぞれ具体的に見ていきましょう。まず、①の**きっかけ**です。より厳密には、「ユーザーと製品の関わり」という文脈になります。

　こちらは、いわゆる「5W2H」をイメージしてもらうとわかりやすいかと思います。「When（いつ）、Where（どこで）、Who（誰が）、Why（なぜ）、What（何を）、How（どのように）、How much（いくら）」ですね。例えば、寝ているとき、食事中、歩行中、走行中、動いているとき、止まったとき、傘の開閉、心拍数、電源オン / オフ、Web の閲覧、現在位置、ドアの開閉、温度差、などなどたくさん候補が考えられます。

　先の「みまもりホットライン」の例ですと、離れた場所で生活してる自分の身寄りの高齢者が、何をしているときにその行動を検知するのが適切か？ということを考えるわけです。当製品の場合は、プライバシーや監視されてる感を回避しつつ、ちゃんと生活できているかを確認するための「きっかけ」として、「給湯したとき」が選定されたわけです。

最初に「きっかけ」を考える

ポットのお湯を
使ったとき

　IoTサービスの場合は、この「きっかけ」を吟味することは先のプライバシーや安全性の観点から非常に大事になってきます。この際の考え方としては、ユーザーの**受動性**と**能動性**の2つがあります。

　受動性の場合はユーザーが特に意識しなくても勝手にセンシングされるため楽ですが、反面、知らないうちにプライバシーが侵されてる懸念も出てきます。能動性の場合は、ユーザー側がいちいち何らかの行動を働きかけなければなりませんが、プライバシーは守られる…、などというようにどちらも一長一短あることは確かです。

　続いて②の**システム状態**です。先ほどの「みまもりホットライン」の例では「きっかけ」をユーザーが「給湯したとき」にしたわけですが、ではそのときのシステムはどういう状態か？について考える必要があります。給湯機のシステムにおいては、お湯の残量検知などいくつか考えられますが、当製品では「給湯ボタン押下」したときに検知するという設計仕様になってます。

続けて「システムの状態」を考える

給湯ボタンが
押された

　最後に、ようやく③の**センサー選定**という流れになります。運用性や保守性など、技術的な観点が主な検討事項になります。

センサーを決める

ボタンセンサー
を採用

　以上の流れをまとめる、次の図のようになります。

IoT サービスのセンサー選定

・いきなりセンサー選定をしない
・「きっかけ」→「システム状態」→「センサー選定」の
　3段階を踏む

　①どういうユーザーの「きっかけ」か？
　● 5W2H：When（いつ）、Where（どこで）、Who（誰が）、
　　Why（なぜ）、What（何を）、How（どのように）、
　　How much（いくら）
　● <u>給湯したとき</u>、寝ているとき、食事中、歩行中、走行中、動いて
　　いるとき、止まったとき、傘の開閉、心拍数、電源オン/オフ、
　　Webの閲覧、現在位置、ドアの開閉、温度差、etc..
　②どんなシステム状態か？
　● <u>給湯ボタン押下</u>、お湯が減った、etc..
　③どのセンサーか？
　● <u>ボタンセンサー</u>

例：みまもりホットライン

アクチュエーター（出力装置）の選定の考え方

アクチュエーター（出力装置）の選定の考え方も、先のセンサー（入力）の選定に非常に近いです。

こちらもいきなりアクチュエーターを選定するわけではなく、「**①結果→②コンテンツ→③メディア（素材）**」の3段階を踏むのが得策です。

まず①の**結果**は、「ユーザーにどういう結果をもたらしたいか」を考えます。これは、5W2Hでユーザーの出力結果の文脈を構想します。例えば、「みまもりホットライン」では、「給湯されたという情報の受信」となります。情報の受信は、毎日何回も行われることが考えられます。

最初に「結果」を考える

②の**コンテンツ**は、結果を伝えるコンテンツの種類になります。現状の工業製品だとテキストや映像、音が通例かもしれませんが、触覚、味、香り、風など、サイバーフィジカルの世界ではその候補も益々多様化していくことでしょう。

結果を伝える「コンテンツ」を決める

　③の**メディア**(素材)は結果(コンテンツ)をアサインするメディアの検討です。スマートフォン(ディスプレイ)だけでなく、テーブル、玄関など、発想を広げることが、より多様な IoT サービスにつながっていくことでしょう。

「メディア」を決める

スマートフォンで
読めるようにする

　以上のようなことを踏まえてアクチュエーターを選定していきましょう。「みまもりホットライン」では、メールでの通知になります。メールであれば、スマートフォンなど端末でどこでも確認できますし、1 日に複数回送られてくる場合でも、隙間時間で対応できます。

IoT サービスのアクチュエーターの選定

・いきなりアクチュエーター選定をしない
・「結果」→「コンテンツ」→「メディア(素材)」の3段階を踏む

①どういう「結果」をもたらしたいか?
● 5W2H：When(いつ)、Where(どこで)、Who(誰が)、
　Why(なぜ)、What(何を)、How(どのように)、
　How much(いくら)
● 例：隙間時間に確認可能、毎日1回連絡受信、etc…

②どんな「コンテンツ」を使うか?
● 例：映像、音、メール、触れる、味、香り、風、etc…

③どんな「メディア」を使うか?
● 例：スマートフォン(ディスプレイ)、テーブル、玄関、etc…

例：みまもりホットライン

制御の考え方

ここで言う「制御」とは、すなわち、アルゴリズム（コンピュータへの「命令」）だと思ってください。アルゴリズムには、大きく分けて2種類あります。

1つ目は、**シーケンシャル**なアルゴリズムです。「○→△→×…」のように、次々と処理が逐次的に進んでいきます。例えば、ピタゴラ装置※や、PLC（Programmable Logic Controller）※などが挙げられます。

2つ目は、**状態遷移**な制御です。「もし○○したら、△△する…」というように、条件分岐の制御方式で。デジタルゲームなどはまさに状態遷移ですよね。

制御については、次章以降の実際のプログラミング体験で詳しく見ていきます。

※ ピタゴラ装置
https://www.nhk.jp/p/pitagora/ts/WLQ76PGNW2/

※ PLC
https://www.mdsol.co.jp/column/column_120_2039.html

道具の進化系であるコンピュータの仕組み

　この章では、プログラムと、それを動かすコンピュータの仕組みについて学習しました。コンピュータの仕組みを完璧に理解する必要はありませんが、最低限の知識は身につけておきましょう。

　以下に、第3章について、まとめてみます。

- 本書のテーマである広義のプログラミングにおいては、コンピュータについて理解し、それをどう使っていくかを考えることが重要。

- コンピュータは、言ってみれば正体不明な「宇宙人」。

- でも、その正体が少しでもわかれば怖くない！その仕組みと言語について理解しよう。

- コンピュータは道具の一種。原理は人間と似て非なる構造。

- コンピュータはハードウェアとソフトウェアで構成されている。

- ハードウェアは5大装置（入力装置、制御装置、記憶装置、演算装置、出力装置）で構成される。

- ソフトウェアはOSとアプリケーションソフトウェアで構成される。

- 歴史を紐解くとその基本的な原理は不変だが、使い方は大きく進化してきている。IoTなどは最先端動向をウォッチする。

　広義のプログラミングで作成するものを決めれば、次は狭義のプログラミング（ソースコードの記述）の出番です。次章からはソースコードについて解説していきます。

CHAPTER

4

▼

プログラミングの基礎

SECTION 01　最初にアルゴリズムを考える

　この章では、実際に「プログラムを作る＝プログラミングを行う」ための基礎的な知識・考え方について解説していきます。

　とは言っても、本書の目的は**ビジネス的な素養としてのプログラミングの考え方を身につけることです。**いわゆるプログラマーなどの技術者向けということではないので、高度な知識やスキルについては扱いません。

　だからと言って、狭義の入門レベルに留めるわけでありません。ビジネス的な教養としてのプログラミングスキルと、技術者としてのそれはターゲットが異なります。そのあたりも言及しつつ、広くビジネスパーソンに役立つ汎用的かつ応用可能性のある内容を目指したいと思います。

アルゴリズムをフローチャートで記述する

　まずはじめに、第2章で学んだ、日常生活の手順を想像する箇所を思い出してください。

　そこでは、3つほどビジネス現場でよく行う事例（打ち上げ会の会場探し、マルチタスク、ホワイトボードに四角形を描く）の**アルゴリズム**を取り上げたかと思います。

　プログラムというのは、コンピュータへの命令でした。その命令というのは、手順を記述していくことで、アルゴリズムとしてまとめられます。そして、アルゴリズムはコンピュータの処理に限った話ではなく、私たち人間の日常生活にも多く潜在しており、我々は日々脳内アルゴリズムを実行しています。

実はこのアルゴリズムには、記述方法があります。

ここでは、その代表例である**フローチャート**の書き方について紹介したいと思います。とは言っても、そんなに複雑なルールではありません。基本的には、以下の4つのパターンを覚えていただければ問題ないかと思います。

フローチャート(基本ブロック)

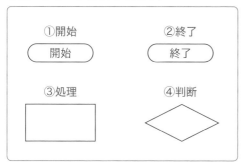

処理には「何を行うか」を記述します。**判断**は「Yes」「No」で手順を分岐する条件を記述していきます。

それでは、第2章で取り上げた3つの例を、このフローチャートで書いてみましょう。第2章では、時系列的に取る行動を自然言語で書き並べただけかと思いますが、それを先の記述方法に則って当てはめれば大丈夫です。

例えば、次のような感じになるかと思います。

例①：打ち上げ会の会場探し

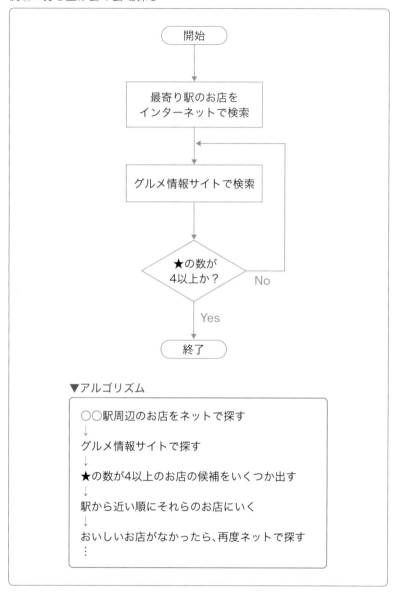

例②：マルチタスク

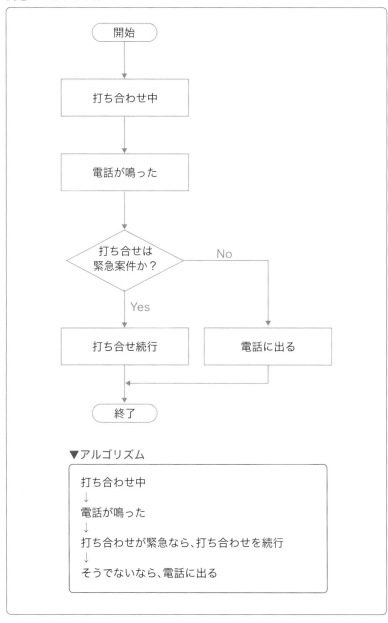

▼アルゴリズム

打ち合わせ中
↓
電話が鳴った
↓
打ち合わせが緊急なら、打ち合わせを続行
↓
そうでないなら、電話に出る

例③：四角形を描く

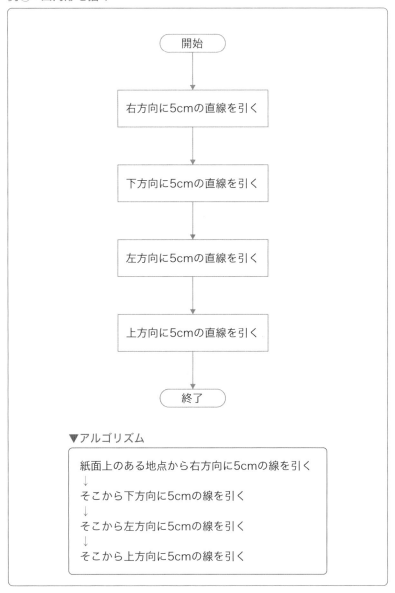

▼アルゴリズム

紙面上のある地点から右方向に5cmの線を引く
↓
そこから下方向に5cmの線を引く
↓
そこから左方向に5cmの線を引く
↓
そこから上方向に5cmの線を引く

いかがでしょうか。最初はとっつきにくいかもしれませんが、書き慣れてくればなんてことはないと感じると思います。

このように、**最初に自分の行動をアルゴリズムとして考え、それをフローチャートとしてまとめていきましょう。**そうすることで、どのように「命令」していけばよいかがイメージできるようになります。

なお、例①②のような条件によって処理が変わるアルゴリズムを**状態遷移**と言い、例③のような処理を逐次的に続けていくだけの処理を**シーケンシャル**と言ったりします。

演習

問題①

第2章で紹介した「代表的なアルゴリズム」の例（59ページ）を、フローチャートで描いてみましょう。

回答 **223ページ**

コンピュータに命令を伝える方法

アルゴリズムをフローチャートで記述する方法を紹介しました。いよいよ本題のコンピュータのアルゴリズムについて、説明したいと思います。

あらためて、本書で繰り返してきたプログラムの説明を思い出してください。**プログラムというのはコンピュータへの命令**でした。そして**命令はアルゴリズムであり、手順を記述していくこと**でした。

基本的な考え方は、日常生活のアルゴリズムと同様です。最初にアルゴリズム（命令）を考え、それをコンピュータへ伝えるようにします。

コンピュータにアルゴリズムを伝えるためには、それをコンピュータが理解できる言語に翻訳する必要があります。そして、その言語には典型的な文法があります。

ここで、コンピュータが理解できる言語＝**プログラミング言語**につい

ての学習が必要となってきます。本書では、代表的なプログラミング言語である Python を例に取り上げて、典型的な「文法」を学習していきましょう。

　以降のプログラムの文法の説明および例は、その基本文法を網羅するというよりも、コンピュータのアルゴリズムの理解を深めるためのチュートリアルと捉えていただくとよいと思います。より詳細もしくは厳密な解説は、プログラミング関係の入門書などを適宜ご参照ください。

無限の猿定理

　1 匹の猿がタイプライターを適当に打ち続けると、4.2 × 10 の 28 乗年かければシェイクスピアの作品が書ける、という有名な定理があります。自然言語を扱う文章表現による小説に関して、人間の創造力 / 想像力の無限の可能性を示唆していると言えるでしょう。

　では、はたして、プログラムの集合体である AI に、小説が書ける日はくるのでしょうか？ 書けたとして、それは人間にとって、「面白い」小説になるでしょうか？

　キーワードから文章を作成してくれる AI も既に登場しています。その進化の先を期待しましょう。

プログラミングの文法①：関数

　Pythonは、AIなどの分野で利用されている、高度なプログラムが作成可能なプログラミング言語です。もちろん、もっと簡単な命令を書くこともでき、プログラミングの学習においても広く用いられています。

　例えば、「Welcome!」と表示させるプログラムは、以下のようになります。

```
print("Welcome!")
```

　このプログラムに記述された **print** というのは、文字列を表示させるための**関数**です。これは、（）と "" で囲んだ文字列を表示させる命令です。

関数＝命令を実行するための仕組み

　関数は、**プログラミング言語の文法として用意されている、命令を実行するための仕組みです。**Excelの関数（合計を行う「SUM」など）を連想していただくとイメージしやすいでしょう。

　上記のプログラムを実行すると、パソコンなどのディスプレイ上に「Welcome!」と表示されます。

```
Welcome!
```

「Welcome!」のかわりに、例えば会社名を入力すれば、それが表示されます。

```
print("SBクリエイティブ")
```

SBクリエイティブ

　ちなみに、この「関数」は、読者の方々が学校で習った算数や数学の関数のそれと基本的には同じ原理です。

　例えば「y=f(x)」という数学の関数式は、「x」に何らかの値を当てはめると、計算を行って「y」という計算結果を出力するものですよね。

当てはめられた値に応じて計算結果を出力する

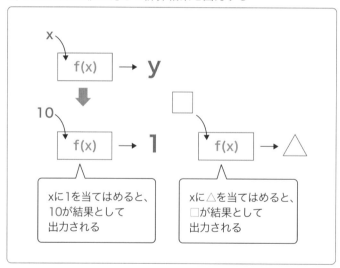

　同じことがプログラミングの関数にも言えます。今回の例だと、()の中に「"Welcome!"」を入れると、コンピュータの画面に「Welcome!」を表示させるという出力になります。

与えられた文字列を表示する

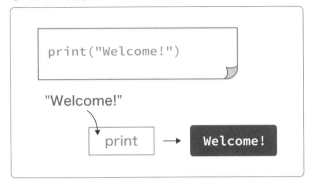

関数の仕組みを理解する

あらためて、文字列を表示する print 関数を見てみましょう。

print 関数

「print」が関数、「"Welcome!"」が関数に与える値です。関数に与える値を引数と言います。**関数に引数を与えると、それに応じた結果が出力される**という仕組みです。

Python などのプログラミング言語には、print 以外にも様々な処理を行うための関数が多数用意されていて、目的に応じて関数を利用していきます。なお、プログラミング言語によって、同じ処理でも関数名が異なる場合があります。

演習

問題②

次のような自己紹介の文章を表示させてみましょう。

「はじめまして。藤井です。よろしくお願いします。」

回答 **224** ページ

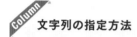

文字列の指定方法

　プログラミングの入門書では**文字列**という言葉がよく使われます。文字列は、複数の文字が連なったものを意味します。一文字だけの場合は「文字」と呼び分ける場合もあります。

　プログラムの中で文字列を指定する場合は、前後をダブルクォーテーション（"）で囲みます。プログラミング言語によってはシングルクォーテーションなど、他の記号を利用するものもあります（Python では、シングルクォーテーションで囲うこともできます）。

　「文字列はダブルクォーテーションなどで囲む」と覚えて起きましょう。

さて、唐突ですが「箱」をイメージしてみましょう。普段の仕事で書類などを保管してあるものでもいいですし、引越用の段ボールでも構いません。どんな「箱」でもいいです。

いうまでもなく、「箱」というのは何かを入れておくためのものですよね。プログラミングの世界では、その「箱」に、数値や文字列を入れます。そして、その「箱」のことを、**変数**と呼びます。

変数＝「箱」

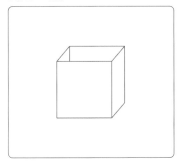

変数に値を入れる

日常で使用する箱には、ラベリング（名前付け）したりすることもあるかと思います。どの箱に何が入っているかがわかるようにしておくためです。プログラミングの世界の箱＝変数にもラベリングをします。

ここでは、「a」ということにしましょう。そして、その箱＝変数に「7」という数字を入れます。

プログラミング用語で言い換えると、**「用意した変数 a に、7 という値を入れる」**と表現することができます。さらに、もう少し専門的に言い換えると、**「変数 a に 7 を代入する」**となります。

　コンピュータへの命令＝プログラムの書き方としては、次のようになります。

```
a = 7
```

変数「a」に「7」を代入する

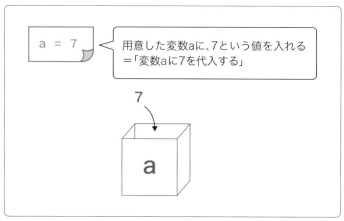

　変数に値を代入する際には「＝」を使用します。数学においては、「＝」は比較を行う際に使用されますが、多くのプログラミング言語では、「＝」は比較ではなく代入を行うことを覚えておきましょう。

関数と変数を組み合わせる

　ここで用意した変数 a に入れることができるのは、数値だけではありません。文字列も可能です。例えば、次のように記述することで、「Welcome!」という文字例を、変数 a に代入することができます。

```
a = "Welcome!"
```

　文字列の前後は「"」（ダブルクォーテーション）で囲むのがルールです。

ここで、先ほどの print 関数を思い出してください。次のように記述すると、どうなるでしょうか？

```
a = "Welcome!"
print(a)
```

　変数 a には「"Welcome!"」が代入されています。print 関数は、引数に指定した値を表示させる命令なので、「print(a)」の結果は、「Welcome!」と表示されることになります。

変数を使って値を指定する

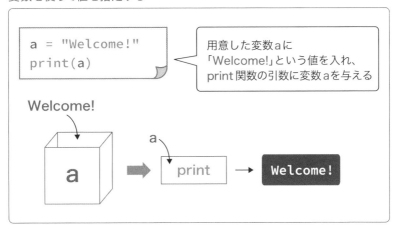

　このように、変数は値として指定することができます。ちなみに、上記のプログラムは、次のように書いても同じ命令になります。

```
print("Welcome!")
```

　プログラミングでは、このような普段の書き言葉や文書作成などでは使わないような特殊な記号や書き方が多くあります。最初は違和感あるもしれませんが、継続的に触れ続けていけば次第に慣れてくるでしょう。

演習

問題③

次の手順を実行するプログラムを書いてみましょう。

①変数 x に、文字列「プログラミング基礎講座へようこそ！」を代入する

②x を表示する

回答 **225 ページ**

変数の宣言とデータ型の指定

　ここでは変数を用意して、値を代入する例を紹介しました。Python では、記述するだけで変数を使用できますが、プログラミング言語によっては、変数を用意する際に、明示的に「これは変数ですよ」と宣言^{せんげん}しなくてはいけないものがあります。

　また、変数には数値だけでなく、文字列を代入できることも紹介しました。変数は、代入する値の種類によって「整数型」「文字列型」などの**データ型**に分けられます。Python はデータ型を意識せずに変数を使用することができますが、プログラミング言語によっては、データ型を明示的に指定する必要があります。

　変数の宣言やデータ型の指定については、それぞれのプログラミング言語に合わせて行っていきましょう。

プログラミングの文法③：演算子

　プログラムでは、様々な計算を行うことができます。例えば、以下の四則演算は、読者の方々にとっても日常的な計算ですよね。

加算（足し算）

減算（引き算）

乗算（掛け算）

除算（割り算）

　ここでは、プログラム内での計算について見ていきましょう。

▌計算は演算子で行う

　プログラム内で四則演算を行う際には、次のような記号を利用します。

加算：+

減算：-

乗算：*

除算：/

　プログラムの世界では、このような記号を**演算子**と言い、四則演算などの計算に用いるものは**算術演算子**と呼びます。算術というのは計算のことなので、要はそのための記号のことですね。その他にも様々な用途の演算子が用意されています。

四則演算を行うプログラムの例

四則演算について、それぞれのプログラムの例を見ていきましょう。

◆ 加算（足し算）

例えば、以下のプログラムの出力結果は、どうなるでしょうか？想像してみてください。

```
a = 7
b = 11
c = a + b
print(c)
```

ここまでの変数と表示の文法を理解していれば、簡単ではないかと思います。答えは「18」になります。

ここで行っていることは、

7 + 11 = 18

と同様です。読者の方々にとってもお馴染みの、日常的な足し算です。

このように、Python をはじめとした多くのプログラミング言語では、**加算（足し算）は「+」演算子を使って行います。**

上記の例でわかるように、プログラム内の計算では、**数値を変数に置き換えて実行する**ことができます。例えば「a + b」は、「変数 a に代入された値と変数 b に代入された値を足し算する」という意味になります。

また、「=」にも注意してください。変数のところでも触れたように、プログラムでは「=」は代入を行う記号です。

日常の計算において「a = 7」は、「a イコール 7」、つまり「a と 7 は等しい」と解釈されます。しかし、プログラムにおいては「a に 7 を代入する」という意味になります。「等しい」ことを表現する文法については、後ほど取り上げます。

プログラミングの世界で「=」は、**代入演算子**と呼ばれます。**代入演算子とは、「右辺の式の値を、左辺に代入する」役割を果たします。**

「右辺の値」ではなく、「右辺の式の値」と表現しているところに注目してください。「=」は、値だけでなく、右辺に書かれた計算式の結果を代入することもできます。

⊃ 減算（引き算）

減算（引き算）も、加算と同様の考え方でプログラムを書くことできます。Python プログラミングの文法として、**引き算は「-」演算子を使います。**

では、今度は、以下の減算の結果を表示するプログラムを考えてみましょう。

11 − 7 = 4

回答例としては、次のようになります。

```
a = 7
b = 11
c = b - a
print(c)
```

⊃ 乗算（掛け算）

さて、続いて乗算（掛け算）ですが、我々が普段日常生活で使っている記号は「×」ですよね。ところが、ここで注意が必要なのですが、プログラミングの世界では「×」は使えません。**そのかわりに「*」演算子（アスタリスク）を使います。**プログラミング言語は、人間とコンピュータの間を翻訳する言語なので、このような一見特殊な記号や表現をすることはよくあります。

　そうすると、例えば、以下のような加算の結果を表示するプログラムは、どのようになるでしょうか？

7 × 11 = 77

　プログラム例としては、次のようになります。

```
a = 7
b = 11
c = a * b
print(c)
```

　掛け算で「*」の記号を使うのは違和感があるかもしれませんが、こちらもプログラムを読んだり書いたりしていけば、見慣れていくことでしょう。

⮕ 除算（割り算）

　四則演算の最後に、除算（割り算）を見ていきましょう。こちらも記号は「÷」ではありません。**「/」演算子を使用します。**

　例えば、「10 ÷ 4」の結果を表示するプログラムは次のようになります。

```
a = 4
b = 10
c = b / a
print(c)
```

　結果は「2.5」が表示されます。

　さて、それでは「11 ÷ 7」の結果を表示するプログラムは次のようになりますが、これを実行すると何が表示されると思いますか？

```
a = 7
b = 11
c = b / a
print(c)
```

　「11 ÷ 7」は、我々が算数で習った回答例としては、「1 余り 4」になるかと思います。しかし、上記プログラムの回答を先に言うと、デフォルトでの表示は「1」になります。このままでは、余りは表示されません。

　余りを表示するには、「%」演算子を使います。「11 ÷ 7」の余りを表示するプログラムは、次のようになります。

```
a = 7
b = 11
c = b % a
print(c)
```

　このプログラムを実行すると、結果として「4」が表示されます。なお、ここでは話が難しくならないために説明は省きますが、除算の結果と余りを一括で表示させる文法もあります。

演習

問題④

次のプログラムを作成してみましょう。

①変数 s に 7 を代入する

②変数 s の値に 4 を足す

③変数 s の値を表示する

回答 **225 ページ**

161

変数の値を増減させる

　ここでは、もう1つだけ、別の計算式について取り上げようと思います。

```
a = 7
a = a + 1
print(a)
```

　この「a = a + 1」という表記は、算数で習ってないし、普段は使わない書き方なので、かなり違和感を感じるかもしれません。

　その意味は、「変数aに1を足した値を、変数aに代入する」と単純に捉えてください。結果として「8」が表示されることになります。

変数aに1を足した値を、変数aに代入する

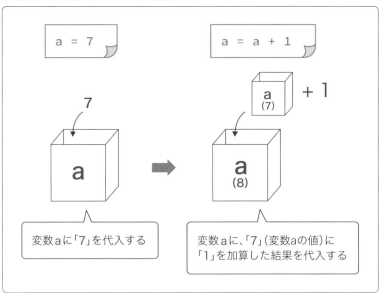

変数の値を増やす（あるいは減らす）場合に、このような文法を用いることがあります。パターンとして覚えておきましょう。

　また、「a = a + 1」は、「a += 1」と記述することもできます。この書き方は、他の算術演算子に対しても使うことができます。以下の図にまとめます。

変数を増減させる表記

```
a = a + 7    ➡    a += 7
a = a - 7    ➡    a -= 7
a = a * 7    ➡    a *= 7
a = a / 7    ➡    a /= 7
a = a % 7    ➡    a %= 7
```

演習

問題⑤

次の順番で計算を行うプログラムを作成しましょう。

①変数 s に「7」を代入する

②変数 s に「7」を加える

③変数 s から「7」を引く

④変数 s に「7」を掛ける

⑤変数 s を「7」で割る

⑥変数 s を「7」で割った余りを求める

⑦変数 s の値を表示する

回答 ▶ **225 ページ**

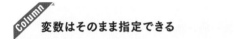

変数はそのまま指定できる

print関数の引数に文字列を指定する場合は、ダブルクォーテーションで囲みました。ここで紹介した例では、「print(a)」のようにダブルクォーテーションで囲まずに変数名を記述しています。

このように、変数名はダブルクォーテーションで囲まずに指定することができます。また、「print(1234)」のように、数値を指定する場合もダブルクォーテーションは必要ありません。

引数の指定方法

プログラミングの文法④：繰り返し

よいプログラムとは、理想的には「短くする」ことです。例えば、次のように表示するプログラムの命令文はどうなりますか？

```
Welcome!
Welcome!
Welcome!
Welcome!
```

ここまでに学習した知識を使うと、以下のようになるかと思います。

```
print("Welcome!")
print("Welcome!")
print("Welcome!")
print("Welcome!")
```

しかし、これは面倒ですよね？

今回は、「Welcome!」と表示させる命令文を4つ書けばいいかもしれませんが、これを100個や1000個も書かなければならないとしたら、いくらコピペできるからといって、大変な作業量になります。

for文で処理を繰り返す

そこで活躍するのが、繰り返しを行う for 文です。

つまり、ある命令を「○回繰り返してね」と命令するだけですむ書き方があります。以下に、Python における for 文の文法を示します。

Python の for 文

for：for文であることを示します。
変数：命令の繰り返し方を指示するときに使う変数です。
range：繰り返し方を指定する関数です。引数は3つあります。
変数1(初期値)：1つ目の引数です。ここには、繰り返し処理を始
　　　　　　　めるための値を書きます。
変数2(終了値)：2つ目の引数です。ここには、この値になったら、
　　　　　　　繰り返し処理を終了する、という値を書きます。
変数3(継続値)：3つ目の引数です。初期値からこの値ずつ増やし
　　　　　　　て(減らして)いきながら繰り返し処理をします。
繰り返し処理：繰り返す処理を書きます。

for 文の流れをフローチャートで書くと、次のようになります。

「○回繰り返す」フローチャート

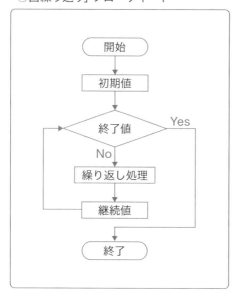

具体的な例を見ていきましょう。

例えば、先の「Welcome!」を 4 つ表示させるためのプログラムは次のようになります。

```
for s in range(0,4,1):
    print("Welcome!")
```

変数：命令の繰り返し方を指示するときに使う変数 s を定義
変数 1（初期値）：今回は 0 から繰り返し処理を始める
変数 2（終了値）：4 になったら、繰り返し処理を終了する
変数 3（継続値）：初期値 0 から 1 ずつ増やしていきながら繰り返す
繰り返し処理：「Welcome!」と表示する

つまり、変数 s の値を「0」から「1」「2」「3」と「1 ずつ」を増やしていきながら print 関数を繰り返し実行して、変数 s の値が「4」になったら繰り返しを終了します。結果として、4 回「Welcome!」と表示させることができます。

```
Welcome!
Welcome!
Welcome!
Welcome!
```

このように、**for 文は指定した条件の回数だけ処理を繰り返します。**プログラミング言語によって条件の指定方法は異なります。詳しくは、各プログラミング言語の解説をあたってみてください。ここでは、「for 文は繰り返し」ということを覚えておいてください。

値を変えながら繰り返す

次のプログラムを実行すると、どのように表示されるでしょうか。
ちょっと考えてみてください。

```
for s in range(0,4,1):
    print(s)
```

結果は次のようになります。

```
0
1
2
3
```

ここで注目していただきたいのが、print 関数の引数に、変数 s を指
定していることです。

1 回目の繰り返しでは、変数 s の値は初期値である「0」が入っていま
す。2 回目は「1」、3 回目は「2」、4 回目は「3」と 1 ずつ増えていきます。
このように、**関数と変数を組み合わせることで、1 回ごとの結果を変え
ながら繰り返しを行うことができます。**これもよく使われる文法ですの
で、覚えておきましょう。

また、次のプログラムを実行すると、どのように表示されるでしょう
か？

```
for s in range(7,11,1):
    print("Welcome!")
```

答えは、先ほどの「Welcome!」が 4 回表示されるプログラムと同様に
なります。

上記のプログラムでは、変数 s の初期値として「7」を指定しています。つまり、「7」から1ずつ増やしていって、「11」になったら繰り返しを終了するという意味になります。結果として、4回繰り返されるわけです。

　このように、プログラミングでは、同じ出力結果でも、いくつか表現方法が存在することはよくあります。

演習

問題⑥

次のソースコードの出力結果はどうなるでしょう？

```
1    for s in range(11,7,-1):
2        print("Welcome!")
```

回答 ▶ **225 ページ**

Column

文章執筆 AI

　ELYZA Pencil※は、2 ～ 8 個までのキーワードから自動で文章を生成してくれる AI システムです。ちょっとしたニュース記事やメール文などを、違和感のない文章で表現してくれます。

　昨今、様々な文章を自動生成する AI が登場していますが、これも、人間と AI が協働で作業していくという点をわかりやすく示している事例の1つと言えるでしょう。

※ ELYZA Pencil
https://www.pencil.elyza.ai/

while文で繰り返す

　繰り返し処理を行う文法は、for 文の他に存在します。<ruby>while<rt>ワイル</rt></ruby> 文がそれです。

Python の while 文

```
while 反復条件 :
      繰り返し処理
```

while：繰り返し処理を宣言します。
反復条件：繰り返す条件式を設定します。
繰り返し処理：繰り返す処理を書きます。

　for 文は、条件に指定した回数だけ繰り返しましたが、**while 文は反復条件に指定した条件が満たされている間は処理を繰り返します。**

　while 文をフローチャートで表すと、次のようになります。反復条件が Yes の間は処理を繰り返し、No になったら処理を行わずに終了します。

while 文のフローチャート

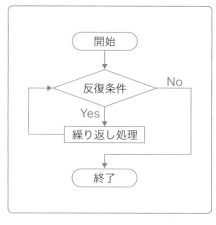

while 文のプログラム例は、次のようになります。

```
s = 7
while s < 11:
    print("Welcome!")
    s += 1
```

　最初に反復条件に使用す変数 s を用意し、初期値として「7」を代入しています。反復条件は「s < 11」としています。これは、「変数 s の値が『11』より小さい間は処理を繰り返す」という意味になります。

　繰り返し処理の 1 行目は、「Welcome!」を表示することです。2 行目は、変数 s の値を「1 ずつ」加算していく式です。**while 文では、繰り返し処理の中に、変数の値を変化させる式を記述します。**こうすることで、繰り返すごとに反復条件を変更しながら条件が判断されるようになります。

　変数 s の値は「7」からスタートし、繰り返すごとに「8」「9」「10」「11」と 1 ずつ増えていきます。「11」になると処理が終了されるので、結果としては、「Welcome!」が 4 行表示されることになります。

```
Welcome!
Welcome!
Welcome!
Welcome!
```

　先ほどは反復条件の式を「s < 11」と何気なく書きましたが、「**<**」は比較を行うための演算子です。このような何らかの比較をするための記号のことを、**比較演算子**（ひかくえんざんし）と言います。

　「小さい」や「大きい」のように、日常の計算でも見慣れたものもありますが、「以上」や「以下」、「等しい」「等しくない」など、普段の記号の使い方とは異なるものあるので、注意が必要です。

171

　プログラムにおいては「=」はイコールではなく代入だと繰り返し説明してきました。イコールは「==」です。なお、Excel などに搭載されている VBA（VisualBasic for Applications）のように、プログラミング言語によっては「=」がイコールの意味を持つものあります。詳しくは、各言語の解説をあたってください。

比較演算子

比較演算子	意味	例
＜	小さい	s＜5　　sは5より小さい
＞	大きい	s＞5　　sは5より大きい
＜＝	以下	s＜＝5　sは5以下
＞＝	以上	s＞＝5　sは5以上
＝＝	等しい	s＝＝5　sと5は等しい
！＝	等しくない	s！＝5　sと5は等しくない

　ちなみに、反復条件では、以下のような論理演算子も使うことができます。

論理演算子

論理演算子	意味	例
not	ではない（論理否定）	not a　　aではない
and	かつ（論理積）	a and b　aかつbである
or	または（論理和）	a or b　　aとbのどちらか

演習

問題⑦

次のプログラムの出力結果はどのようになりますか？

```
1  s = 11
2  while s > 7:
3      print("Welcome!")
4      s -= 1
```

Column プログラミング教育番組

テキシコーは、アニメーションなどを交えながら、プログラミング的思考を、パソコンを使わずに学ぶことができるプログラミング教育番組です。

小学校 3 年生から高校生までが対象ではありますが、日常生活やビジネスシーンでの作業を効率的するための豆知識など、プログラミングを学ぶ大人が見ても楽しめる番組かと思います。

テキシコー

 https://www.nhk.or.jp/school/sougou/texico/

SECTION 06 | プログラミングの文法⑤：条件分岐

　日常生活のアルゴリズムでも言及したように、我々は普段の生活の中で、「もし○○をしたら××、そうでなかったら△△…」というような判断を行っています。プログラムでも、そのような命令の文法が存在します。

　そのような文法を**条件分岐**と呼び、以下の**if文**が代表的なものです。

Python の if 文

```
if  条件式  :
        条件成立時の処理
else:
        条件不成立時の処理
```

if：条件分岐であることを宣言します。
条件式：条件が分岐する数式を書きます。
条件成立時の処理：条件式が成立する場合の処理を書きます。
else：条件が成立しない場合の処理に関する宣言です。
条件成立時の処理：条件式が成立しない場合の処理を書きます。

　if文は、条件式に指定した条件が成立する場合と、条件が不成立の場合で実行する処理を分岐します。

　if文をフローチャートで表すと、次のようになります。条件成立と条件不成立の処理をそれぞれ用意します。

if 文のフローチャート

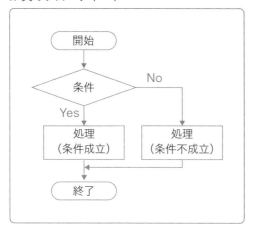

実際のプログラム例は、次のようになります。

```
s = 9
if s >= 7:
    print("ご来店ありがとうございます!")
else:
    print("営業時間外です。またのご来店をお待ちしております。")
```

まずは、プログラムの中身を見ていきましょう。

最初に条件式に使用する変数 s を用意して「9」を代入します。

続いて、if 文であることを宣言してから、条件式に「s >= 7」を指定します。比較演算子を使って、「変数 s は 7 以上の場合」という意味です。

3 行目は、条件式が成立する場合の処理です。変数 s が「7 以上」の場合は、この処理が実行されます。

4 行目の **else** は、条件式が不成立の場合の宣言です。この下に、不成立の場合の処理を記述します。

このプログラムを実行すると、次のように結果が表示されます。

ご来店ありがとうございます！

　最初に用意した変数 s には「9」が代入されているので、「s >= 7」を満たすため、「ご来店ありがとうございます！」と表示されます。

　変数 s の値が「7 より小さい」場合は、「営業時間外です。またのご来店をお待ちしております。」と表示されます。

変数の値で実行される処理が変わる

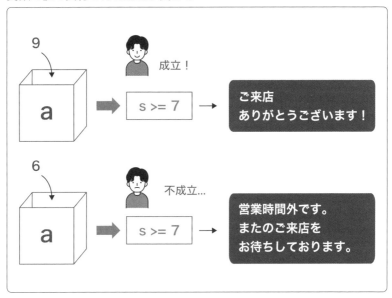

演習

問題⑧

17 時より前の時間だったら「勤務中」、17 時以降になったら「残業中」と表示されるプログラムを書いてみましょう。

回答 ▶ 226 ページ

複数の条件で分岐できるようにする

　先ほどの if 文の例では、変数 s の値が「7 以上」かどうかで表示するメッセージが変更されました。この処理を日常の生活で言い換えると、

開店時間（7 時）以降に来店したかどうかで挨拶を変える

といった感じでしょうか。

　では、開店時間だけでなく、閉店時間によっても表示するメッセージを変えるようにするには、どうすればよいでしょうか？日常生活に置き換えれば、

7 時から 23 時までの間に来店した場合と、
それ以外の時間に来店した場合で挨拶を変える

という感じです。

　if 文の条件式を変更することで、このような処理を実現することが可能です。「23 時まで」は「変数 s の値が 23 以下なら」と考えることができます。式で表せば「s <= 23」となります。

　では、「ご来店ありがとうございます！」と表示される条件に「s <= 23」を加えるには、どのように記述したらよいでしょうか？少し考えてみてください。

　回答例としては、次のようになります。

```
s = 9
if s >= 7 and s <= 23:
    print("ご来店ありがとうございます!")
else:
    print("営業時間外です。またのご来店をお待ちしております。")
```

前述の論理演算子「**and**」を条件式に追加すればよいですよね。

and は、「かつ」を意味する演算子です。「s >= 7 and s <= 23」は、「変数 s の値が『7 以上』かつ『23 以下』の場合」という意味になります。これで、「7 時から 23 時までと、それ以外の時間に来店した場合で挨拶を変える」処理が作れました。

2 つの条件を処理を変更する

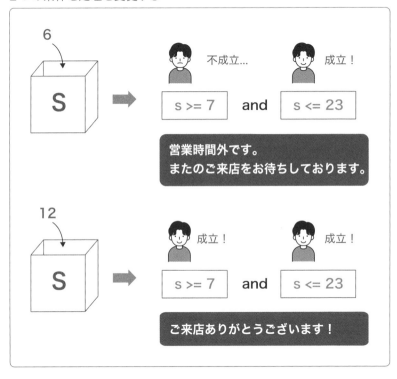

演習

問題⑨

① 9 時から 17 時の場合は「勤務中」、それ以外の時間の場合は「残業中」と表示されるプログラムを、論理演算子「or」を使って書いてみましょう。

② また、①と同様の出力結果のプログラムを、論理演算子「and」を使って書いてみましょう。

回答 226 ページ

論理演算子で複数の条件を組み合わせる

倫理演算子「and」「or」「not」を利用することで、複数の条件を組み合わせた条件式を指定することができます。

and は「かつ」を意味します。先ほどの例のように、「左辺と右辺の両方を満たす場合」という条件式を作成できます。

or は「もしくは」を意味します。例えば「s >= 7 or s <= 23」とすれば、「変数 s の値が『7 以上』か『23 以下』のどちらかを満たす場合」という条件になります。

not は「ではない」を意味します。例えば、「not s >= 7」とすれば、「変数 s の値が『7 以上』ではない場合」という条件になります。このように not を使うことで、「条件式を満たさない場合に実行する」といった処理を作成することもできます。

06

プログラミングの文法⑤：条件分岐

実行される処理を増やす

　ここまでは、条件式が成立か不成立かで実行する処理を分けました。**成立か不成立に加えて、その他の場合に実行される処理**を加えてみましょう。

　「ご来店ありがとうございます！」「営業時間外です。またのご来店お待ちしております。」に加えて「まもなく閉店時間となります。」と表示されるようにしてみましょう。

　if文にその他の処理を加える場合は、**elif** という文法を使います。

if 文に elif を追加

```
if  条件式1 :
        条件成立時の処理1
elif  条件式2 :
        条件成立時の処理2
else:
        条件不成立時の処理
```

if：条件分岐であることを宣言します。
条件式1：条件が分岐する数式を書きます。
条件成立時の処理1：1つ目の条件式が成立する場合の処理を書きます。
elif：2つ目の条件式があることを宣言します。
条件式2：2つ目の条件式を書きます。
条件成立時の処理2：条件式2が成立する場合の処理を書きます。
else：どちらの条件も成立しない場合の処理に関する宣言です。
条件不成立時の処理：条件式が成立しない場合の処理を書きます。

フローチャートで表すと、次のようになります。

elif を追加した場合のフローチャート

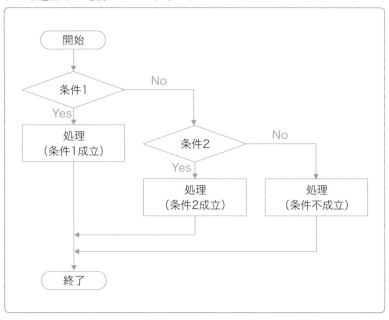

　ここでは、23時に来店したお客さんに「まもなく閉店時間になります。」と挨拶するようにしましょう。

　「23時に来店」は、「変数 s の値が『23』の場合」という条件式を用意すればよいでしょう。

　elif の文法を追加したプログラムは、以下のようになります。

```
s = 23
if s >= 7 and s < 23:
    print("ご来店ありがとうございます!")
elif s == 23:
    print("まもなく閉店時間となります。")
else:
    print("営業時間外です。またのご来店お待ちしております。")
```

　1つ目の条件式は「s >= 7 and s < 23」としました。「変数 s の値が『7以上』かつ『23 より小さい』場合」となります。

　elif で指定する2つ目の変数は「s == 23」です。「変数 s の値が『23』の場合」となります。「==」はイコールを意味する比較演算子です。左辺と右辺の値が同じ場合は条件式が成立します。

　条件式1と条件式2のどちらも成立しない場合は、else に記述した処理が実行されます。elif は複数追加することもできます。

演習

問題⑩

FizzBuzz 問題

1 から 100 までの数字について、以下の条件で出力するプログラミングを書いてください。

①数字が 7 の倍数のときは数字のかわりに「Fizz」と表示

②数字が 11 の倍数のときは数字のかわりに「Buzz」と表示

③数字が 7 と 11 の倍数のときは「FizzBuzz」と表示

④①〜③のいずれでもない場合は、そのまま数字を表示

回答　**227 ページ**

アルゴリズムを文法に置き換える

　ここまで、プログラミング言語の文法のうち、基礎となるものを紹介してきました。もちろん、この他にも多くの文法がありますが、まずは「関数」「変数」「演算子」「繰り返し」「条件分岐」を抑えておけば、簡単なプログラムであれば十分に作成することができます。

　あとは、**アルゴリズムに文法を当てはめていけば、どのようにプログラムを書いていけばよいかが見えてきます。**

　例えば、「計算結果を表示する」であれば、

①計算を行う
②計算結果を表示する

となりますが、これに文法を当てはめれば、次のように考えられます。

①演算子を使って計算する
③ print 関数を使って表示する

　「ボタンが押されたらメッセージを表示する」であれば、

①ボタンが押された
②メッセージを表示する

というアルゴリズムに次のように当てはめられます。

① if 文でボタンが押されたか判断する
②（ボタンが押されたら）print 関数を使ってメッセージを表示する

　フローチャートと組み合わせて考えると、より理解しやすいでしょう。

プログラミング言語の基礎＝文法を学ぶ

　この章では、プログラミング言語の文法について学習しました。「関数」「変数」「演算子」「繰り返し」「条件分岐」の5つをしっかりと理解していきましょう。

　以下に、第4章について、まとめてみます。

- プログラミング基礎を身につけると、ビジネス教養力も高まる。

- プログラム＝コンピュータへの「命令」である。

- 命令を手順として記述＝アルゴリズム、アルゴリズムの表記方法＝フローチャート。

- プログラミング言語は、ルール＝文法で記載される。基礎的な文法を抑えることで、自在にプログラムが書けるようになる！

- 関数は様々な処理を実行する命令。

- 変数は値を代入して使用する。

- 演算子は様々な演算を行う記号。算術演算子、代入演算子、論理演算子、比較演算子などがある。

- for文は、指定した回数だけ処理を繰り返す。while文は、条件を満たす間は処理を繰り返す。

- if文は、指定した条件によって実行する処理を分岐する。

　次章は最終章です。第4章で学習したプログラミング言語の基礎を使って、実際に仕事や日常生活に役だつモノをイメージしながら、プログラミングを体験していきましょう。

CHAPTER

5

▼

プログラミングを体験する

プログラミングを行う準備

　第4章では、プログラミングの文法について、ざっとその基礎の基礎を学びました。

　ここから、実際のコンピュータを使用したプログラミングを体験してみましょう。 まずは、プログラミングを始めてみるにあたって必要な準備や備品について紹介していきたいと思います。

プログラムを「作る」環境

　開発環境とは、プログラムを「作る」環境のことです。用意する必要のあるものを見ていきましょう。

➔ パソコン

　基本的には、最低限パソコンが1台あれば、プログラミングを始めることはできます。

　ここで言うパソコンとは、前述した5大装置が搭載されたコンピュータのことです。つまり、**入力装置**であるマウスやキーボード、**制御装置/演算装置**であるCPU、**主記憶装置**であるメインメモリ、**補助記憶装置**であるハードディスクやUSB、クラウドストレージ、そして、**出力装置**であるディスプレイやスピーカーのことです。ノートパソコンとデスクトップパソコン、どちらでも大丈夫です。プログラミング言語によっては、タブレット端末で行うことも可能です。

　マウスはパソコンの基本的な操作を行う際に必要です。プログラム（ソースコード）は英数字などを入力して書いていくので、キーボードも必須です。

人間の頭脳にあたる CPU やメモリは、入門的にプログラミングを始めたい場合はほぼ気にする必要はありませんが、より応用的な高度なプログラミングには、それ相応のスペックが必要になります。

　ディスプレイは、書いたソースコードを確認するのに必要です。スピーカーは、もし何らかのサウンド出力を実行するためのプログラムなら必要になります。

　開発環境でどれくらいのスペックが必要かについては、プログラムを作成するためのソフトウェアの公式サイトにはこれらの必須あるいは推奨スペックが示されていますので、事前に確認するとよいでしょう。

⮕ テキストエディタ

　プログラミングは、主に英数字を使用した文字列をソースコードとして入力していきます。文字列の入力のためのソフトウェアが**テキストエディタ**になります。これは単に文字列を入力するだけのソフトウェア（メモ帳など）の機能に加えて、入力候補やスペルチェックなどの機能も搭載されています。その意味では、ビジネス文書を作成するための文書作成ソフトウェアをイメージしてもらえればよいかと思います。

　入力したソースコードはプログラムファイルとして保存します。保存する際には、プログラミング言語に合わせた拡 張 子を付けます。例えば、Python の拡張子は「.py」、JavaScript の拡張子は「.js」といった感じです。保存したプログラムファイルは、この後で紹介する実行環境を使って実行します。

　有償のものから無償のものまで、様々なテキストエディタがあります。代表的なテキストエディタとしては、Microsoft 社が提供する Visual Studio Code があります。

Visual Studio Code

 https://azure.microsoft.com/ja-jp/products/visual-studio-code

➜ ターミナル

　プログラミングは、基本的には**「ソースコードを入力→プログラム
ファイルとして保存→プログラムファイルを実行」**という流れで行いま
すが、第4章で紹介した「print("Welcome!")」のような簡単なプログラ
ムであれば、**ターミナル**と呼ばれるソフトウェア上で、入力と実行（結
果確認）をまとめて行うことができます。

　ターミナルは通常はパソコンに標準で用意されています。Windows
は**コマンドプロンプト**、Macであればそのまま**ターミナル**という名前のソ
フトウェアです。

ターミナル(コマンドプロンプト)

```
コマンド プロンプト - python                        ─   □   ×
C:¥Users¥      >python
Python 3.9.4 (tags/v3.9.4:1f2e308, Apr  6 2021, 13:40:21)
[MSC v.1928 64 bit (AMD64)] on win32
Type "help", "copyright", "credits" or "license" for more
information.
>>> print("Welcome!")
Welcome!
>>>
```

プログラムを「動かす」環境

　実行環境とは、作ったプログラムを「動かす」ための環境になります。
以下のようなものを用意します。

● コンパイラー

　プログラミング言語で入力されたプログラム(ソースコード)を機械
語に翻訳、実行するソフトウェアです。

　プログラミング言語ごとに専用のコンパイラーが用意されていて、通
常はプログラミングを行うパソコンにインストールして使用します。

● インタプリター

　コンパイラーと同様に、プログラムを機械語に変換、実行するソフト
ウェアです。

　コンパイラーはソースコード全体をまとめて翻訳してから実行しま
す。インタプリターは、ソースコードを上から1行ずつ翻訳・実行し
ていきます。コンパイラーかインタプリターは、プログラミング言語に
依存します。

➡ デバッガー

プログラムの実行時に、正しく動くかどうか**デバッグ**（動作確認）する
ソフトウェアです。実態としては、プログラムの文法が正しいか、ロ
ジックが破綻してないかなど、「間違い探し」をしてくれます。

通常は、コンパイラーやインタプリターに組み込まれているので、特
別に用意しなくても大丈夫です。

➡ バージョン管理ツール

作成するプログラムの規模が大きくなってくるにつれ、修正などの作
業も多くなってきます。プログラム内のどこを修正したかがわかるよう
に、バージョン管理ツールを利用します。

代表的なバージョン管理ツールとして、**GitHub**（ギットハブ）があります。

GitHub

 https://github.co.jp/

全てが揃った統合開発環境（IDE）

上記の開発環境と実行環境が一式揃ったものが**統合開発環境**です。英訳の「Integrated Development Environment」の頭文字を取って **IDE** とも呼ばれます。複数のプログラミング言語に利用できるものもあります。

近年では、本格的にプログラミングを行う場合には、統合開発環境を使うことがほとんどです。理由は以下のようになります。

➡ コンピュータまわりのスキルに依存しない

自分で開発環境や実行環境をバラバラで管理しようとすると、それ相応のコンピュータリテラシーが必要になります。

➡ 開発作業の効率化

コンピュータまわりのスキルがあったとしても、それぞれのソフトウェアを連携するなど、作業に手間がかかります。各ソフトウェアやその関連操作がシームレスにできるので、サクサクと作業を進めることができます。

また、プログラム内で使用する画像や音声などのデータをまとめて管理できるようになるメリットもあります。

➡ 視覚的で見やすい表示

現在のパソコンの画面は、アイコン表示など、視覚的に直感的にわかりやすく理解して操作できる仕組みになってます。このような表示形式を、**GUI**（Graphical User Interface）と言います。

統合開発環境では、この GUI の表示機能の優れた点が存分に生かされており、プログラミング初心者や作業負担低減および効率化に貢献する仕様となっています。

⊃ チーム体制での開発

上記の効果があるので、結果的に複数人での共同作業による開発の場合、より円滑に開発作業を進めることができます。

特に、チームの人数が多かったり、複雑でソースコードの行数が多いプログラムの場合に効果を発揮します。とりわけ、プログラムが仕様通り正しく動くかを評価検証するテスト工程においては、その効果は顕著です。

統合開発環境には多くの種類があり、どれを選択するかは、主に以下を参考にするとよいでしょう。

▌ どの統合開発環境を使うか？

プログラミング言語は自然言語同様に、作るコンテンツや業界などによって様々なものがあります。統合開発環境もその使用言語に合わせて選定する必要があります。

いくつか使用言語ごとに例を取り上げます。

⊃ Microsoft Visual Studio

マイクロソフト　ビジュアル　スタジオ
Microsoft Visual Studio は、最も普及している統合開発環境の 1 つです。使用可能言語は、C 言語や C++、C# といった、伝統的かつメジャーなプログラミング言語です。

Microsoft 社製で、非常に多くの機能が搭載されており、拡張性も高いことから、幅広いコンテンツや業界で使われています。

使用端末 (OS) は Windows がメインですが、macOS 版もリリースされています。無償版と有償版があります。

Microsoft Visual Studio

 https://visualstudio.microsoft.com/ja/

⤳ PyCharm

Python は、AI（人工知能）などの開発からプログラミングの学習まで、幅広い用途で使われているプログラミング言語で、Python 用の統合開発環境もいくつもあります。PyCharm（バイチャーム）は、その中でも人気の高いものの 1 つです。

PyCharm

 https://www.jetbrains.com/ja-jp/pycharm/

　Community 版は無償、Professional 版は有償で、使用端末は Windows、macOS ともに対応しています。

⊖ Xcode

　特定の開発コンテンツに対応した統合開発環境もあります。

　Xcode は iPhone や iPad、Mac などの Apple 社製品に対応したアプリケーションを作成するための専用の統合開発環境です。

　無償で使用できますが、使用端末は macOS のみで、Windows ユーザーは使用できません。

Xcode

 https://developer.apple.com/jp/xcode/

⊖ Android Studio

　Android Studio は、Android アプリケーションの開発に特化した統合開発環境です。無償で使用でき、使用端末は Windows、macOS ともに対応しています。

Android Studio

 https://developer.android.com/studio

有償・無償版のどちらを使うか？

　先ほどから有償版および無償版の2つあることを紹介していますが、基本的には、**プログラミング初心者は無償版から始めてもほとんど問題ありません。**その言語を使いこなしていく過程でもっと機能を追加したくなったら、より機能が豊富な有償版にアップデートするなどの対応で問題ないかと思います。

　例えば、先のVisual Studioの有償版なら、扱うプログラミング言語が増えたり、商用利用など目的の場合には適するかもしれません。

　また、有償版にすることで、サポートを受ける権利を得られるものもあります。

ローカル・クラウド環境のどちらを使うか？

　ローカル開発環境というのは、インターネット接続なしの端末でプログラミング可能な環境のことです。厳密には、IDEをインターネットからダウンロードして端末上にインストールして、それを使用するスタイ

　ルです。先ほどから取り上げている統合開発環境の例は、ローカル開発環境になります。

　それに対して、Web ブラウザー上で動く統合開発環境もあります。それが、**クラウド IDE** です。当然、常時インターネット接続が求められます。

→ AWS Cloud9

　クラウド IDE の例としては、**AWS Cloud9**（クラウド）があります。これは、Amazon 社のクラウドサービスである AWS（Amazon Web Services）上で動作する IDE です。使用には AWS のライセンスが必要で、従量課金制です。

　常時インターネット接続の特性を生かして、複数人でリモートでソースコードの同時編集などの作業が可能です。

AWS Cloud9

 https://aws.amazon.com/jp/cloud9/

→ オンラインプログラミングのフリーサイト

　インターネット上で、かつフリーで様々なプログラミングの作成と実行ができるサービスを展開しているサイトがあります。

実用的なプログラムを作成するためには、それ専用の環境の構築など必要ですが、それらのサイトでは手軽にプログラミングを体験することができます。ぜひ覗いてみてください。

例えば、Scratch（スクラッチ）は、小学生向けのプログラミング教育でも多く利用されています。

ソースコードを書かずに、ブロックをつなげていくスタイルでプログラミングを行っていきます。アカウントを作成すれば、無償で使用することが可能です。

Scratch

 https://scratch.mit.edu/

参考図書や Web サイトの情報が多いか？

プログラミングの学習方法でも言及したように、特定の環境を使用しなくてはいけない、などの制限がない限り、基本的には**市販の参考図書や Web サイトが豊富なもの**を選んだ方が最初は無難かと思います。

統合開発環境は上記でご紹介した以上に多くの種類があり、流行にも影響するものも少なからずあることも、留意しておくとよいでしょう。

SECTION

02

プログラミングを体験する

　ここでは、Microsoft MakeCode を使用します。MakeCode は、Microsoft 社が提供するプログラミング学習プラットフォームで、Web ブラウザー上で手軽にプログラミングを体験できます。無償で利用可能で、体験するだけであれば、アカウントの登録も不要です。

Microsoft MakeCode

 https://www.microsoft.com/ja-jp/makecode

　MakeCode では、イギリスで誕生した micro:bit というポケットサイズのコンピュータ上で動くプログラムを作成することができます。ブロックをつなげてビジュアル的にプログラミングを行うスタイルと、ソースコードを直接する記述するスタイルの両方が行えます。その他にも、様々なプラットフォームに対応しています。

　Web ブラウザー上でプログラミングと実行結果のシミュレーションが行えるので、micro:bit の実機がなくても大丈夫です。ただ、実機が

あるとより理解が進むので、できれば実機を購入して動かしてみること
をオススメします。

micro:bit

 https://microbit.org/ja/

　MakeCode では、**MicroPython** という、Python をベースにしたプ
ログラミング言語を使用します。MicroPython は、基本的な文法は
Python と同様です。

　以下の作業は、実際にパソコンを操作しながら読んでいただくと、理
解が深まると思います。ぜひ手を動かしながら体験してみてください。

プロジェクトを作成する

　Web ブラウザーを立ち上げ、まず、以下のアドレスにアクセスして
ください。日本語と英語の表記を切り替えるメッセージが出る場合は、
「日本語」を選択しましょう。

https://makecode.microbit.org/

MakeCode 内の micro:bit の画面が表示されたら、**「新しいプロジェクト」をクリック**してください。

「新しいプロジェクト」を作成する

新しいプロジェクト
をクリック

多くの統合開発環境では、**プロジェクト**という単位でプログラムを管理します。

プロジェクトごとに識別可能な名前を付けて、その中でプログラムファイルやプログラム内で使用する画像などをまとめて管理します。プログラムごとにフォルダを作って、その中に必要なファイルを格納するようなイメージで捉えられます。

「プロジェクトを作成する」というウィンドウが表示されます。

今回は、**「いらっしゃいませ！」という名前を入力**して、**「作成」ボタンをクリック**してください。

プロジェクトに名前を付ける

MakeCode では使用するプログラミング言語を「JavaScript」と「Python」のどちらかから選択することができます。

画面の上部にある**「JavaScript」と表示された箇所をクリックし、「Python」を選択**してください。

プログラミング言語を選択する

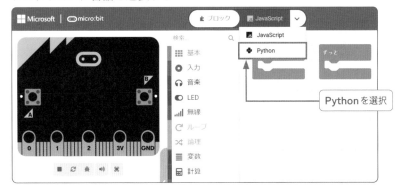

Python によるプログラミング画面に切り替わります。画面左側が、実行結果を表示する画面です。micro:bit の実機をシミュレートした表示が行われます。

　画面右側が、プログラム作成領域になります。テキストエディタの役割をする箇所で、ここにソースコードを入力していきます。

プログラミング画面

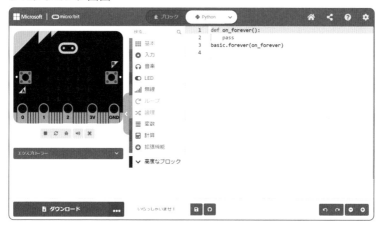

ソースコードを書き換えてみる

　プロジェクトを作成した段階で、ひな型となるプログラムも作成されます。ひな型のソースコードは、次のようになります。

ひな型のソースコード

```
1  def on_forever():
2      pass
3  basic.forever(on_forever)
```

　この**ひな型のソースコード**を、次のように**書き換え**てみましょう。

書き換え後のソースコード

```
1  def on_forever():
2      basic.show_string("Welcome!")
3  basic.forever(on_forever)
```

ソースコードを書き換える

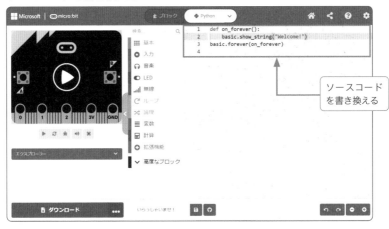

ソースコードを書き換えたら、プログラムを実行してみましょう。

画面左側にある**「シミュレーターを開始する」をクリック**すると、プログラムが実行されて、結果が表示されます。

プログラムを実行する

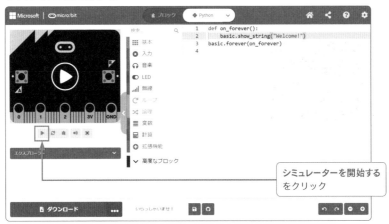

プログラムを実行すると、micro:bit のシミュレーター上に「Welcome!」という文字列が流れるように表示されます。

「Welcome!」と表示される

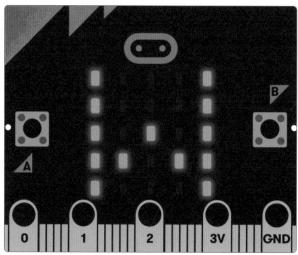

　「シミュレーターを停止する」をクリックすると、プログラムが停止
されます。

プログラムを停止する

ソースコードの中身を「推理」する

さて、先ほどのソースコード、軽く眺めてみてください。

おそらく、暗号のように意味不明な文字例が並んでいるように見えるでしょう。ここで、第4章で学んだことを思い出します。

入力したソースコード

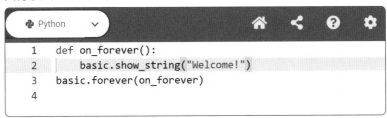

プログラミングの学習は、外国語（＝自然言語）の習得に近いということでした。つまり、基本的な「文法」を覚えて、「語彙」や「熟語」の知識を増やしていけば、その自然言語の文章を書けるようになったり、話せるようになったりするかと思います。

そして、何もその言語の全ての「語彙」や「熟語」の知識を知ってる必要はないですよね？わからなかったら、辞書やインターネット検索すればよいのです。

大事なのは、基本的な文法の知識があって、あとは「語彙」や「熟語」などの活用の仕方を知っているかどうか、になります。

プログラミング言語の学習も同様です。

第4章でPython言語の「文法」の基礎について学びました。そして、いくつかの命令内容について、その活用の仕方を学ぶことで、多少の「語彙」「熟語」の知識が増えたかと思います。

上記を踏まえて、今度はこのソースコードを少し「推理」してみましょう。読者の方々がいまの時点で知ってるプログラミングの知識を手がかりに、**このプログラムが何の命令なのか、「探偵」になったつもりで考えていきます。**

まずは、1 行目を見てみましょう。

```
def on_forever():
```

最初の「def」はよくわからないかもしれませんが、ソースコードは基本的には英語表現なので、その後の「on_forever」＝「永続的に」という意味だと推理できます。

ですので、これより以下のソースコードに対して、「何らかの処理を永続的に繰り返してね」と命令しているように読み取れます。

```
basic.show_string("Welcome!")
```

続いて 2 行目ですが、いくつかの文字列の後に「()」が表記されています。これは第 4 章で解説した**関数**と同じ構造ですね。

そしてその中身ですが、「basic」＝基本、「show」＝表示、「string」＝文字列、さらに「()」の中は「"Welcome!"」と書かれていますね。これは「basic.show_string」関数に**引数**として「Welcome!」を指定するという意味に読み取れます。

```
basic.forever(on_forever)
```

最後に 3 行目は、「basic.forever」の後の「()」の中に「on_forever」と書かれています。これも関数の構造ですね。「basic.forever」関数の引数に「on_forever」を指定するという意味に読み取れます。つまり、「1 行目の命令文を永続的に繰り返してね」ということでしょう。

以上から、このプログラム命令内容としては、

文字列「Welcome!」を永続的に表示させる

と推理できました。

このように、**プログラムを「読解」するときは、必ずしも全てを事前に知っておく必要があるわけではなく、適宜、想像を働かせつつ、調べながらでいいことがほとんどです。**

そして、実際に自分でソースコードを書くときも、ゼロから書くことはほぼなく、インターネットや書籍などで適宜調べたり引用しながらの作業になります。

そういう意味では、自然言語に例えると、外国語の入試問題の長文読解に近いかもしれません。この場合は、何も全ての文章を読み解く必要はないですよね。

プログラムを書いたり読むことは、あたかも**「探偵」が「推理」しながら犯人を追い詰めていく過程に似ていると言えます。**また、「推理」することを楽しみながらやることも、プログラミングを継続的にモチベーションを維持しながら取り組むためのコツになります。

Column　STEAM 教育

STEAM 教育とは、Science（科学）、Technology（技術）、Engineering（工学）、Art（リベラルアーツ）、Mathematics（数学）の 5 つの単語の頭文字を組み合わせた教育概念です。学校教育における分野横断型の学習方法として文部科学省も推進しています[※]。

本章で取り上げてる micro:bit も、STEAM 教育の教材としてよく使われています。

※ STEAM 教育（文部科学省）
https://www.mcxt.go.jp/a_menu/shotou/new-cs/mext_01592.html

ソースコードの中身を「確認」する

推理した結果が当たっているか、ソースコードの中身を「確認」してみましょう。

ソースコードを再掲します。この中身を 1 行ずつ確認していきます。

書き換え後のソースコード(再掲)

```
1  def on_forever():
2      basic.show_string("Welcome!")
3  basic.forever(on_forever)
```

➜ 1 行目の中身

1 行目の「**def**」は関数を定義するときに使う文法です。関数はプログラミング言語に事前に用意されているものの他に、自分で作成(定義)することができます。したがって、「def on_forever()」は「**on_forever()」という関数の作成**を意味しています。

1 行目の最後に「**:**」(コロン)が記述されています。これは、次の行は「この関数で行う処理が記述されていますよ」という目印のようなものです。また、関数の中身を記述する場合は、**インデント**(字下げ)するのが Python の流儀です。インデントした部分が関数の中身だと判断されます。

➜ 2 行目の中身

2 行目は、1 行目で定義した「on_forever()」関数で行う処理が記述されています。

「basic.show_string()」は引数に指定した文字列を micro:bit の LED 上に表示する関数です。引数は「()」の中に記述します。ここでは「"Welcome!"」が指定されているので、**「Welcome!」と表示する**という処理を行います(文字列は「"」で囲って指定するのでしたね)。

➲ 3 行目の中身

3 行目の「basic.forever()」は、引数に指定した関数を繰り返し（永続的に）実行する関数です。引数には「on_forever」が指定されているので、**1 行目で定義した「on_forever()」が繰り返し実行**されます。

以上から、このソースコードの中身は、

「Welcome!」という文字列を永続的に表示させなさい

となります。推理は当たっていましたね。

ソースコードの中身

```
1  def on_forever():
2      basic.show_string("Welcome!")
3  basic.forever(on_forever)
```

1   on_forever()関数を定義（作成）する命令

2   on_forever()関数で実行する処理（Welcome!と表示）

3   on_forever()関数を実行（永続的に繰り返し）する命令

先ほどのプログラムは、「Welcome!」が永続的に表示され続けるもの
でした。

次は、「Welcome!」を3回表示だけ表示させるようにソースコードを
書いてみましょう。

プロジェクトを作成する

新しいプロジェクトを作成し直しましょう。

画面左上あたりにある**「micro:bit」のアイコンをクリック**すると、先
ほどの「マイプロジェクト」の画面に戻ります。

先ほどと同様に、**「新しいプロジェクト」をクリック**し、**「いらっしゃ
いませ！×3回」という名前を入力**し、**「作成」をクリック**してくださ
い。

プロジェクトを作成し直す

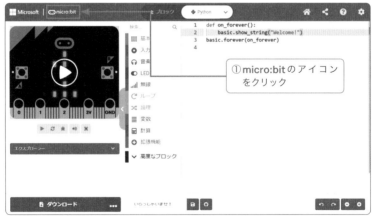

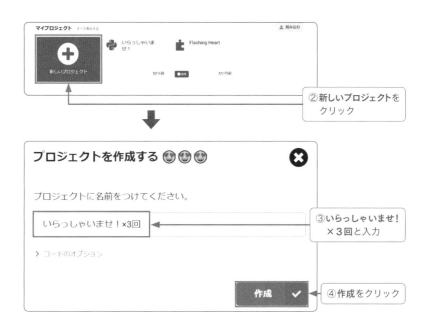

②新しいプロジェクトを
クリック

③いらっしゃいませ！
×3回と入力

④作成をクリック

ソースコードの画面に切り替える

画面の上部にある「Python」と表示された箇所をクリックし、ソースコードの画面に切り替えましょう。

ソースコードの画面に切り替える

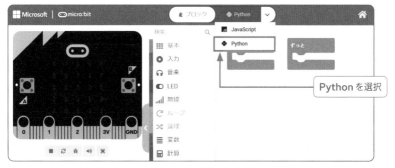

Python を選択

ソースコードを記述する

　「3回表示する」は「表示を3回繰り返す」という命令に置き換えることができます。第4章で**繰り返し**の命令について解説しました。「繰り返し」を行うための文法は何でしたでしょうか。そう、**for文**でしたね。

　for文を使って、繰り返しを行う命令を書いてみましょう。**ひな型のソースコードを書き換え**ます。書き換えるソースコードは、次のようになります。

「Welcome!」と3回表示する

```
1  for index in range(0,3,1):
2      basic.show_string("Welcome!")
```

ソースコードを記述する

　「シミュレーターを開始する」をクリックしてプログラムを実行すると「Welcome!」と3回表示されると、その後は何も表示されなくなります。その状態でもプログラム自体は実行され続けているので、**「シミュレーターを停止する」をクリック**して、プログラムを停止しておきましょう。

動作を確認する

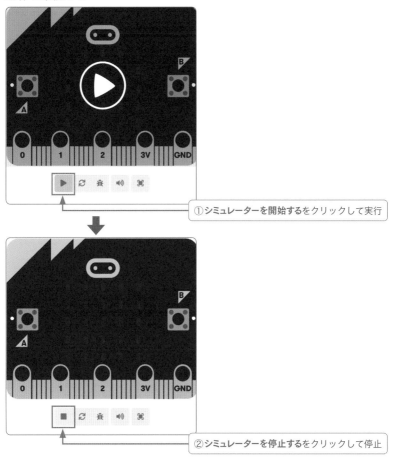

①**シミュレーターを開始する**をクリックして実行

②**シミュレーターを停止する**をクリックして停止

ソースコードの中身を確認する

for 文の文法（165 ページ）を思い出しながら、ソースコードの中身を確認していきましょう。

```
for index in range(0,3,1):
```

　1行目は、「for index in range(0,3,1):」と記述されています。「inndex」は任意の変数です。「0,3,1」は「初期値,終了値,継続値」で、「0」から「1ずつ」足していき、「3」になったら終了する(0、1、2の3回繰り返す)という意味になります。

　行末の「:」(コロン)は、次の行は「for文で実行する処理が記述されていますよ」ということを示しています。関数の処理と同様に、for文の処理もインデント(字下げ)して記述します。

　また、1行目は「for index in range(3):」と記述することもできます。これは、3回繰り返すという意味になります。こちらの書き方もお試しください。

```
basic.show_string("Welcome!")
```

　2行目の「basic.show_string("Welcome!")」がfor文で繰り返し行う処理です。これは最初の例と同じで、「Welcome!」の文字列をLEDに表示する命令です。

　以上から、このソースコードの中身は、

「Welcome!」という文字列を3回繰り返し表示させなさい

となります。

ソースコードの中身

```
1  for index in range(0,3,1):
2      basic.show_string("Welcome!")
```

1　for文(3回繰り返す)の指示
2　for文で実行する処理(Welcome!と表示)

今度は、このプログラムを応用して、実用的なシステムを考案してみましょう。

micro:bit というメディアは、手のひらに載るほどの小さなコンピュータで、例えばドアに貼り付けたりすることができます。先ほどから画面左のシミュレーターの表示を確認していると思いますが、これは実際にちゃんと LED 表示させることもできます。他にも、「ゆさぶる」と検知するセンサー機能もあります。

この機能を使えば、例えば、micro:bit をお店のドアに貼り付け、ドアが開いたとき (= micro:bit がゆさぶられたとき) に挨拶を表示するモノも作ることができます。

そこで、このメディアをゆさぶったときに、先ほどの「Welcome!」が 3 回表示されるプログラムを作成してみましょう。

最初にアルゴリズムを考える

ここでは、「ドアが開くと Welcome! と 3 回表示される」というプログラムを作成します。「ドアが開く」は micro:bit が一定の大きさで「ゆさぶられた」ときにそう判断します。

これをアルゴリズムにすると、次のようになります。

センサーを使ったプログラムのアルゴリズム

（ドアに貼り付けたmicro:bitが）ゆさぶられた

「Welcome!」と3回表示

　続けて、アルゴリズムをフローチャートで記述します。

センサーを使ったプログラムのフローチャート

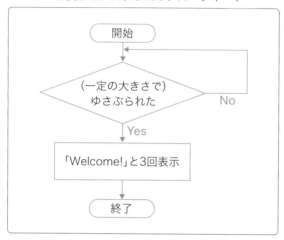

　「ゆさぶられた」はif文を使った条件分岐で判断できそうです。micro:bitにはセンサー機能用の関数が用意されてるので、それを利用します。「3回表示」はfor文の繰り返しで作成しましょう。

ソースコードを記述する

　まずは、新しいプロジェクト「ドアが開いたらいらっしゃいませ!」を作成してください。

　画面左上あたりにある**「micro:bit」のアイコンをクリック**して**「マイプロジェクト」の画面に戻り、「新しいプロジェクト」をクリック**してプロジェクトを作成します。プロジェクトの名前は「ドアが開いたらいらっしゃいませ!」としましょう。

プロジェクトを作成する

プロジェクトを作成する 😊😊😊

プロジェクトに名前をつけてください。

ドアが開いたらいらっしゃいませ！ ← ①ドアが開いたらいらっしゃいませ！と入力

> コードのオプション

作成 ✓ ← ②作成をクリック

　プロジェクトが作成されたら、画面の上部にある**「Python」と表示された箇所をクリック**してソースコードの画面に切り替え、**ソースコードを書き換え**ます。

ソースコードを記述する

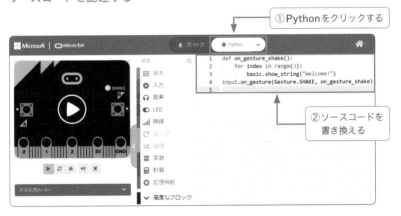

①**Python**をクリックする

```
1  def on_gesture_shake():
2      for index in range(3):
3          basic.show_string("Welcome!")
4  input.on_gesture(Gesture.SHAKE, on_gesture_shake)
5
```

②ソースコードを書き換える

　記述するソースコードは、次のようになります（4行目は紙面の都合上改行していますが、実際は改行せずに1行で入力してください）。

ゆさぶられたときに「Welcome!」と 3 回表示

```
1  def on_gesture_shake():
2      for index in range(3):
3          basic.show_string("Welcome!")
4  input.on_gesture(
                Gesture.SHAKE, on_gesture_shake)
```

プログラムの動作を確認する

プログラムの動作を確認してみましょう。

「シミュレーターを開始する」をクリックしてプログラムを実行します。実行中に、画面左の micro:bit のシミュレーターにマウスを合わせて、ゆさぶるようにカーソルを動かすと、LED 部分に「Welcome!」と 3 回表示されます。

動作を確認したら、**「シミュレーターを停止する」をクリック**して、プログラムを停止しておきましょう。

プログラムを実行する

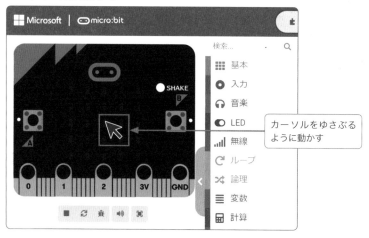

カーソルをゆさぶる
ように動かす

ソースコードの中身を確認する

これまでの例と同様に、ソースコードの中身を1行ずつ確認していきましょう。

```
def on_gesture_shake():
```

1行目の「def」は、関数を定義（作成）する際に使用する文法でしたね。ここでは、「on_gesture_shake()」関数を定義しています。

```
for index in range(3):
```

2行目はfor文です。on_gesture_shake()関数の定義の下にインデント（字下げ）して書いてあることから、関数の処理として何らかの繰り返し処理を行うことがわかります。

「index」は任意の変数で、「range(3)」は3回繰り返すという意味になります。先ほどのfor文の解説を前提にすると、「range(0,3,1)」などの表記になりますが、この開発環境では、for文の引数は省略可能です。他のプログラミング言語でも、引数が省略できることはよくあります。

```
basic.show_string("Welcome!")
```

3行目は繰り返し行う処理です。「Welcome!」の文字列をLEDに表示する命令になります。

```
input.on_gesture(Gesture.SHAKE, on_gesture_shake)
```

4行目の「input.on_gesture()」はmicro:bitに用意されている関数で、何らかのセンサー入力が発生したときに処理を実行します。引数に指定

された「Gesture.SHAKE」(＝ゆさぶる)の入力があったときに、「on_gesture()」関数を実行せよ、という意味になります。

「Gesture」は micro:bit の動作(ジェスチャー)を感知するための命令で、「SHAKE」はシェイク(ゆれ)を意味します。

ソースコードの中身

```
1  def on_gesture_shake():
2      for index in range(3):
3          basic.show_string("Welcome!")
4  input.on_gesture(Gesture.SHAKE, on_gesture_shake)
```

1　on_gesture_shake()関数を定義(作成)する命令

2　for文(3回繰り返す)の指示

3　for文で実行する処理(Welcome!と表示)

4　ゆさぶられたときにon_gesture_shake()を実行
　　(Welcome!と3回表示)

演習

問題⑪

ドアが開いたとき(ゆさぶられたとき)に、メッセージを表示するとともに、音が鳴るシステムのプログラムを作成してみましょう。

回答 **229** ページ

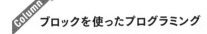

ブロックを使ったプログラミング

　MakeCode では、ソースコードを記述するスタイルの他にも、ブロックを組み合わせていくスタイルで、ソースコードを書かずにプログラムを作成することができます。

　ちなみに、先ほどのセンサーを利用した例をブロックで作成すると、次の図のようになります。

ブロックを組み合わせたプログラミング

　ブロックからソースコードの画面に切り替えれば、ブロックの機能をソースコード化したものが表示されます。ソースコードを記述する際のヒントとして役立ちます。様々な機能のブロックが用意されているので、いろいろと試してみましょう。

ソースコードも表示される

```
1  def on_gesture_shake():
2      for index in range(3):
3          basic.show_string("Welcome!")
4  input.on_gesture(Gesture.SHAKE, on_gesture_shake)
5
```

プログラミング体験で効率的に学ぶ

この章では、プログラミング学習プラットファームを利用して、プログラミングの体験を行いました。

以下に、第5章について、まとめてみます。

・**仕事や日常生活に役立つシステムのプログラミングを体験する。**

・**プログラミング体験で学習する意義は、**
　①アルゴリズム（論理的思考力）が効率的に伸ばすことができる
　②コンピュータの仕組みの理解を深めることができる

・**パソコンとインターネット接続環境があれば、プログラミング環境は整備できる。**

・**プログラミングは「推理」、「探偵」は読者自身。**

プログラミング体験によって、効率的に論理的思考力やコンピュータの仕組みを学ぶことができます。

経済産業省は2006年に、「社会人基礎力」を提唱しました（https://www.meti.go.jp/policy/kisoryoku/）。これは、「職場や地域社会で多様な人々と仕事をしていくために必要な基礎的な力」になります。

この力を土台として、「専門性」を身につけていくわけですが、プログラミング力は、この「社会人基礎力」と「専門性」をつなぐための一般教養として大事になっていきます。ぜひ、いろいろなプログラムを作ってみながら、日々の仕事に役立てていただければ幸いです。

演習の回答

回答 ①→ 147 ページ

「分割統治法の例」

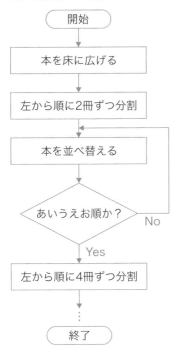

▼アルゴリズム

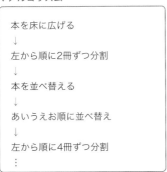

「会話のアルゴリズムの例」

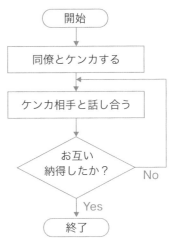

▼アルゴリズム

「Fizz Buzz 問題」

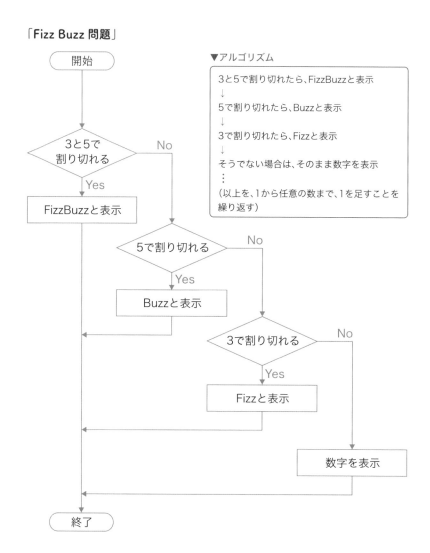

▼アルゴリズム

3と5で割り切れたら、FizzBuzzと表示
↓
5で割り切れたら、Buzzと表示
↓
3で割り切れたら、Fizzと表示
↓
そうでない場合は、そのまま数字を表示
…
(以上を、1から任意の数まで、1を足すことを
繰り返す)

回答　②→ 152 ページ

```
1    print("はじめまして。藤井です。よろしくお願いします。")
```

回答 ③→ 156 ページ

```
1   x = "プログラミング基礎講座へようこそ！"
2   print(x)
```

回答 ④→ 161 ページ

```
1   s = 7
2   s = s + 4
3   print(s)
```

回答 ⑤→ 163 ページ

```
1   s = 7
2   s += 7
3   s -= 7
4   s *= 7
5   s /= 7
6   s %= 7
7   print(s)
```

変数 s に順次所定の演算結果を代入していきます。最終的には「0」と表示されます。

回答 ⑥→ 169 ページ

```
Welcome!
Welcome!
Welcome!
Welcome!
```

　変数 s の初期値として「11」を指定しています。「11」から 1 ずつ減らしていって、「7」になったら繰り返しを終了するという意味になります。結果として、4 回繰り返されるわけです。

回答 ⑦→ 172 ページ

```
Welcome!
Welcome!
Welcome!
Welcome!
```

　繰り返し条件は「s > 7」としています。これは、「変数 s の値が『7』より大きい間は処理を繰り返す」という意味になります。
「s -= 1」は変数 s の値を「1 ずつ」減算していく式です。

回答 ⑧→ 176 ページ

```
1  i = 20
2  if i >= 17:
3      print("残業中")
4  else:
5      print("勤務中")
```

回答 ⑨→ 179 ページ

①

```
1  i = 20
2  if i < 9 or i > 17:
3      print("残業中")
4  else:
5      print("勤務中")
```

②

```
1  i = 20
2  if i >= 9 and i <= 17:
3      print("勤務中")
4  else:
5      print("残業中")
```

回答 ⑩→ 182 ページ

```
1  for s in range(1,101):
2      if s % 7 == 0 and s % 11 == 0:
3          print("FizzBuzz")
4      elif s % 7 == 0:
5          print("Fizz")
6      elif s % 11 == 0:
7          print("Buzz")
8      else:
9          print(s)
```

出力結果

1	Fizz	27
2	15	Fizz
3	16	29
4	17	30
5	18	31
6	19	32
Fizz	20	Buzz
8	Fizz	34
9	Buzz	Fizz
10	23	36
Buzz	24	37
12	25	38
13	26	39
↳	↳	↳

演習の回答

40	61	82
41	62	83
Fizz	Fizz	Fizz
43	64	85
Buzz	65	86
45	Buzz	87
46	67	Buzz
47	68	89
48	69	90
Fizz	Fizz	Fizz
50	71	92
51	72	93
52	73	94
53	74	95
54	75	96
Buzz	76	97
Fizz	FizzBuzz	Fizz
57	78	Buzz
58	79	100
59	80	
60	81	
↳	↳	

　以下を、For 文を使って、初期値 1 から 1 ずつ足していって、100 回繰り返します。

①7 の倍数＝ 7 で割ったときに余りが 0 の数字
②11 の倍数＝ 11 で割ったときに余りが 0 の数字
③数字が 7 と 11 の倍数＝ 7 で割ったときに余りが 0 かつ 11 で割ったときに余りが 0
④①～③のいずれでもない場合は、そのまま数字を表示

　注意が必要なのは、①～③の処理の順番です。
　コンピュータはソースコードを上の行から順次処理していくので、条件が厳しい③から書くことが必要になります。

回答 ⑪→220 ページ

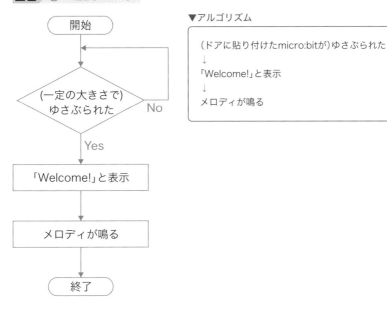

▼アルゴリズム

(ドアに貼り付けたmicro:bitが)ゆさぶられた
↓
「Welcome!」と表示
↓
メロディが鳴る

```
1  pdef on_gesture_shake():
2      basic.show_string("Welcome!")
3      music.play_melody("F A F A F A F A", 300)
4  input.on_gesture(
                Gesture.SHAKE, on_gesture_shake)
```

music.play_melody() は micro:bit に用意された音を鳴らす関数です。ここでは、鳴らす音はブロックを組み合わせるスタイルで設定しています。ブロックは次のようになります。

Index

■本書サポートページ

https://isbn2.sbcr.jp/10791/

- 本書をお読みいただいたご感想を上記URLからお寄せください。
- 上記URLに正誤情報、サンプルダウンロードなど、本書の関連情報を掲載しておりますので、併せてご利用ください。
- 本書の内容の実行については、全て自己責任のもとで行ってください。内容の実行により発生した、直接・間接的被害について、著者およびSBクリエイティブ株式会社、製品メーカー、購入された書店、ショップはその責を負いません。

■著者プロフィール

中原 大介（なかはら だいすけ）

帝京平成大学人文社会学部 専任講師／慶應義塾大学SFC研究所上席所員／東京工科大学メディア学部兼任講師／事業構想大学院大学兼任講師

2014年慶應義塾大学大学院 政策・メディア研究科修士課程 修了。

産学官民共創型プロジェクトとして、プログラミング(的思考)ワークショップや、デジタルテクノロジーを活用した新規事業やイノベーションに取り組んでいる。

専門は、プログラミング(的思考)教育、ユーザインタフェース。

主な担当授業科目は、フィジカルコンピューティング、メディア論、サービスイノベーション、テクノロジーと事業構想など。

一般教養としてのプログラミング

2023年 5月10日 初版第1刷発行

著者	中原 大介
発行者	小川 淳
発行所	SBクリエイティブ株式会社
	〒106-0032 東京都港区六本木2-4-5
	TEL 03-5549-1201(営業)
	https://www.sbcr.jp
印刷	株式会社シナノ
装丁	井上 新八
本文デザイン・組版	クニメディア株式会社
イラスト	フジノマ (astarisk-agency)

Printed in Japan　　ISBN 978-4-8156-1079-1